FRIEDRICH SCHILLER

# Wallenstein

EIN DRAMATISCHES GEDICHT

## II

## WALLENSTEINS TOD

PHILIPP RECLAM JUN. STUTTGART

Der Text folgt der Säkular-Ausgabe der Sämtlichen Werke,
5. Band, herausgegeben von Jakob Minor, Stuttgart und
Berlin, J. G. Cotta. Die Orthographie wurde behutsam dem
heutigen Stand angeglichen

Universal-Bibliothek Nr. 42
Gesetzt in Petit Garamond-Antiqua. Printed in Germany 1974
Herstellung: Reclam Stuttgart
ISBN 3-15-000042-4

# Wallensteins Tod

EIN TRAUERSPIEL IN FÜNF AUFZÜGEN

## PERSONEN

Wallenstein
Octavio Piccolomini
Max Piccolomini
Terzky
Illo
Isolani
Buttler
Rittmeister Neumann
Ein Adjutant
Oberst Wrangel, *von den Schweden gesendet*
Gordon, *Kommandant von Eger*
Major Geraldin
Deveroux ⎱ *Hauptleute in der*
Macdonald ⎰ *Wallensteinischen Armee*
Schwedischer Hauptmann
Eine Gesandtschaft von Kürassieren
Bürgermeister von Eger
Seni
Herzogin von Friedland
Gräfin Terzky
Thekla
Fräulein Neubrunn, *Hofdame* ⎱ *der*
von Rosenberg, *Stallmeister* ⎰ *Prinzessin*
Dragoner
Bediente. Pagen. Volk.

*Die Szene ist in den drei ersten Aufzügen zu Pilsen, in den zwei letzten zu Eger.*

# ERSTER AUFZUG

*Ein Zimmer, zu astrologischen Arbeiten eingerichtet und mit
Sphären, Karten, Quadranten und anderm astronomischen
Geräte versehen. Der Vorhang von einer Rotunde ist auf-
gezogen, in welcher die sieben Planetenbilder, jedes in einer
Nische, seltsam beleuchtet, zu sehen sind. Seni beobachtet die
Sterne, Wallenstein steht vor einer großen schwarzen Tafel,
auf welcher der Planetenaspekt gezeichnet ist.*

### ERSTER AUFTRITT

*Wallenstein. Seni.*

W a l l e n s t e i n. Laß es jetzt gut sein, Seni. Komm herab.
   Der Tag bricht an, und Mars regiert die Stunde.
   Es ist nicht gut mehr operieren. Komm!
   Wir wissen g'nug.
S e n i.          Nur noch die Venus laß mich
   Betrachten, Hoheit. Eben geht sie auf.
   Wie eine Sonne glänzt sie in dem Osten.
W a l l e n s t e i n. Ja, sie ist jetzt in ihrer Erdennäh'
   Und wirkt herab mit allen ihren Stärken.
   *(Die Figur auf der Tafel betrachtend.)*
   Glückseliger Aspekt! So stellt sich endlich
   Die große Drei verhängnisvoll zusammen,          10
   Und beide Segenssterne, *Jupiter*
   Und *Venus*, nehmen den verderblichen,
   Den tück'schen *Mars* in ihre Mitte, zwingen
   Den alten Schadenstifter, mir zu dienen.
   Denn lange war er feindlich mir gesinnt
   Und schoß mit senkrecht- oder schräger Strahlung,
   Bald im *Gevierten*, bald im *Doppelschein*,
   Die roten Blitze meinen Sternen zu
   Und störte ihre segenvollen Kräfte.
   Jetzt haben sie den alten Feind besiegt          20
   Und bringen ihn am Himmel mir gefangen.
S e n i. Und beide große Lumina von keinem
   Malefico beleidigt! der Saturn
   Unschädlich, machtlos, in cadente domo.

W a l l e n s t e i n. Saturnus' Reich ist aus, der die geheime
    Geburt der Dinge in dem Erdenschoß
    Und in den Tiefen des Gemüts beherrscht
    Und über allem, was das Licht scheut, waltet.
    Nicht Zeit ist's mehr, zu brüten und zu sinnen,
    Denn Jupiter, der glänzende, regiert         30
    Und zieht das dunkel zubereitete Werk
    Gewaltig in das Reich des Lichts – Jetzt muß
    Gehandelt werden, schleunig, eh' die Glücks-
    Gestalt mir wieder wegflieht überm Haupt,
    Denn stets in Wandlung ist der Himmelsbogen.
           *(Es geschehen Schläge an die Tür.)*
    Man pocht. Sieh, wer es ist.
T e r z k y *(draußen).*         Laß öffnen!
W a l l e n s t e i n.               Es ist Terzky.
    Was gibt's so Dringendes? Wir sind beschäftigt.
T e r z k y *(draußen).* Leg alles jetzt beiseit', ich bitte dich,
    Es leidet keinen Aufschub.
W a l l e n s t e i n.         Öffne, Seni.
*(Indem jener dem Terzky aufmacht, zieht Wallenstein den*
      *Vorhang vor die Bilder.)*


### ZWEITER AUFTRITT

*Wallenstein. Graf Terzky.*

T e r z k y *(tritt ein).*
    Vernahmst du's schon? Er ist gefangen, ist     40
    Vom Gallas schon dem Kaiser ausgeliefert!
W a l l e n s t e i n *(zu Terzky).*
    Wer ist gefangen? Wer ist ausgeliefert?
T e r z k y. Wer unser ganz Geheimnis weiß, um jede
    Verhandlung mit den Schweden weiß und Sachsen,
    Durch dessen Hände alles ist gegangen –
W a l l e n s t e i n *(zurückfahrend).*
    Sesin doch nicht? Sag nein, ich bitte dich.
T e r z k y.
    Grad auf dem Weg nach Regenspurg zum Schweden
    Ergriffen ihn des Gallas Abgeschickte,
    Der ihm schon lang die Fährte abgelauert.
    Mein ganz Paket an Kinsky, Matthes Thurn,     50
    An Oxenstirn, an Arnheim führt er bei sich.

Das alles ist in ihrer Hand, sie haben
Die Einsicht nun in alles, was geschehn.


### DRITTER AUFTRITT

*Vorige. Illo kommt.*

I l l o *(zu Terzky).* Weiß er's?
T e r z k y.                    Er weiß es.
I l l o *(zu Wallenstein).*          Denkst du deinen Frieden
  Nun noch zu machen mit dem Kaiser, sein
  Vertraun zurückzurufen? wär' es auch:
  Du wolltest allen Planen jetzt entsagen,
  Man weiß, was du gewollt hast. Vorwärts mußt du,
  Denn rückwärts kannst du nun nicht mehr.
T e r z k y. Sie haben Dokumente gegen uns          60
  In Händen, die unwidersprechlich zeugen –
W a l l e n s t e i n.
  Von meiner Handschrift nichts. Dich straf ich Lügen.
I l l o. So? Glaubst du wohl, was dieser da, dein Schwager,
  In deinem Namen unterhandelt hat,
  Das werde man nicht *dir* auf Rechnung setzen?
  Dem Schweden soll *sein* Wort für deines gelten,
  Und deinen Wiener Feinden nicht!
T e r z k y. Du gabst nichts Schriftliches – Besinn dich aber,
  Wie weit du mündlich gingst mit dem Sesin.
  Und wird er schweigen? Wenn er sich mit deinem          70
  Geheimnis retten kann, wird er's bewahren?
I l l o. Das fällt dir selbst nicht ein! Und da sie nun
  Berichtet sind, wie weit du schon gegangen,
  Sprich! was erwartest du? Bewahren kannst du
  Nicht länger dein Kommando, ohne Rettung
  Bist du verloren, wenn du's niederlegst.
W a l l e n s t e i n. Das Heer ist meine Sicherheit. Das Heer
  Verläßt mich nicht. Was sie auch wissen mögen,
  Die Macht ist mein, sie müssen's niederschlucken,
  – Und stell ich Kaution für meine Treu',          80
  So müssen sie sich ganz zufrieden geben.
I l l o. Das Heer ist dein; jetzt für den Augenblick
  Ist's dein; doch zittre vor der langsamen,
  Der stillen Macht der Zeit. Vor offenbarer
  Gewalt beschützt dich heute noch und morgen

Der Truppen Gunst; doch gönnst du ihnen Frist,
Sie werden unvermerkt die gute Meinung,
Worauf du jetzo fußest, untergraben,
Dir einen um den andern listig stehlen –
Bis, wenn der große Erdstoß nun geschieht,                90
Der treulos mürbe Bau zusammenbricht.

Wallenstein. Es ist ein böser Zufall!

Illo. Oh! einen glücklichen will ich ihn nennen,
Hat er auf dich die Wirkung, die er soll,
Treibt dich zu schneller Tat – Der schwed'sche Oberst –

Wallenstein.
Er ist gekommen? Weißt du, was er bringt?

Illo. Er will nur dir allein sich anvertraun.

Wallenstein. Ein böser, böser Zufall – Freilich! Freilich!
Sesina weiß zu viel und wird nicht schweigen.

Terzky. Er ist ein böhmischer Rebell und Flüchtling,   100
Sein Hals ist ihm verwirkt; kann er sich retten
Auf deine Kosten, wird er Anstand nehmen?
Und wenn sie auf der Folter ihn befragen,
Wird er, der Weichling, Stärke g'nug besitzen? –

Wallenstein (in Nachsinnen verloren).
Nicht herzustellen mehr ist das Vertraun.
Und mag ich handeln, wie ich will, ich werde
Ein Landsverräter ihnen sein und bleiben.
Und kehr ich noch so ehrlich auch zurück
Zu meiner Pflicht, es wird mir nichts mehr helfen –

Illo. Verderben wird es dich. Nicht deiner Treu',       110
Der Ohnmacht nur wird's zugeschrieben werden.

Wallenstein (in heftiger Bewegung auf und ab gehend).
Wie? Sollt' ich's nun im Ernst erfüllen müssen,
Weil ich zu frei gescherzt mit dem Gedanken?
Verflucht, wer mit dem Teufel spielt! –

Illo. Wenn's nur dein Spiel gewesen, glaube mir,
Du wirst's in schwerem Ernste büßen müssen.

Wallenstein.
Und müßt' ich's in Erfüllung bringen, jetzt,
Jetzt, da die Macht noch mein ist, müßt's geschehn –

Illo. Wo möglich, eh' sie von dem Schlage sich
In Wien besinnen und zuvor dir kommen –            120

Wallenstein (die Unterschriften betrachtend).
Das Wort der Generale hab ich schriftlich –
Max Piccolomini steht nicht hier. Warum nicht?

T e r z k y. Es war – er meinte –

I l l o.                                    Bloßer Eigendünkel!
　Es brauche das nicht zwischen dir und ihm.

W a l l e n s t e i n. Es braucht das nicht, er hat ganz recht –
　Die Regimenter wollen nicht nach Flandern,
　Sie haben eine Schrift mir übersandt
　Und widersetzen laut sich dem Befehl.
　Der erste Schritt zum Aufruhr ist geschehn.

I l l o. Glaub mir, du wirst sie leichter zu dem Feind          130
　Als zu dem Spanier hinüber führen.

W a l l e n s t e i n. Ich will doch hören, was der Schwede mir
　Zu sagen hat.

I l l o *(pressiert).*    Wollt Ihr ihn rufen, Terzky?
　Er steht schon draußen.

W a l l e n s t e i n.          Warte noch ein wenig.
　Es hat mich überrascht – Es kam zu schnell –
　Ich bin es nicht gewohnt, daß mich der Zufall
　Blind waltend, finster herrschend mit sich führe.

I l l o. Hör ihn fürs erste nur. Erwäg's nachher.
　　　　　　　　　　　*(Sie gehen.)*


### VIERTER AUFTRITT

W a l l e n s t e i n *(mit sich selbst redend).*
　Wär's möglich? Könnt' ich nicht mehr, wie ich wollte?
　Nicht mehr zurück, wie mir's beliebt? Ich müßte          140
　Die Tat *vollbringen,* weil ich sie *gedacht,*
　Nicht die Versuchung von mir wies – das Herz
　Genährt mit diesem Traum, auf ungewisse
　Erfüllung hin die Mittel mir gespart,
　Die Wege bloß mir offen hab gehalten? –
　Beim großen Gott des Himmels! Es war nicht
　Mein Ernst, beschloßne Sache war es nie.
　In dem Gedanken bloß gefiel ich mir;
　Die Freiheit reizte mich und das Vermögen.
　War's unrecht, an dem Gaukelbilde mich          150
　Der königlichen Hoffnung zu ergötzen?
　Blieb in der Brust mir nicht der Wille frei,
　Und sah ich nicht den guten Weg zur Seite,
　Der mir die Rückkehr offen stets bewahrte?
　Wohin denn seh ich plötzlich mich geführt?
　Bahnlos liegt's hinter mir, und eine Mauer

Aus meinen eignen Werken baut sich auf,
Die mir die Umkehr türmend hemmt!
*(Er bleibt tiefsinnig stehen.)*
Strafbar erschein ich, und ich kann die Schuld,
Wie ich's versuchen mag! nicht von mir wälzen;               160
Denn mich verklagt der Doppelsinn des Lebens,
Und – selbst der frommen Quelle reine Tat
Wird der Verdacht, schlimmdeutend, mir vergiften.
War ich, wofür ich gelte, der Verräter,
Ich hätte mir den guten Schein gespart,
Die Hülle hätt' ich dicht um mich gezogen,
Dem Unmut Stimme nie geliehn. Der Unschuld,
Des unverführten Willens mir bewußt,
Gab ich der Laune Raum, der Leidenschaft –
Kühn war das Wort, weil es die Tat nicht war.                170
Jetzt werden sie, was planlos ist geschehn,
Weitsehend, planvoll mir zusammenknüpfen,
Und was der Zorn und was der frohe Mut
Mich sprechen ließ im Überfluß des Herzens,
Zu künstlichem Gewebe mir vereinen
Und eine Klage furchtbar draus bereiten,
Dagegen ich verstummen muß. So hab ich
Mit eignem Netz verderblich mich umstrickt,
Und nur Gewalttat kann es reißend lösen.
*(Wiederum stillstehend.)*
Wie anders! da des Mutes freier Trieb                        180
Zur kühnen Tat mich zog, die rauh gebietend
Die Not jetzt, die Erhaltung von mir heischt.
Ernst ist der Anblick der Notwendigkeit.
Nicht ohne Schauder greift des Menschen Hand
In des Geschicks geheimnisvolle Urne.
In meiner Brust war meine Tat noch mein:
Einmal entlassen aus dem sichern Winkel
Des Herzens, ihrem mütterlichen Boden,
Hinausgegeben in des Lebens Fremde,
Gehört sie jenen tück'schen Mächten an,                      190
Die keines Menschen Kunst vertraulich macht.
*(Er macht heftige Schritte durchs Zimmer, dann bleibt er
wieder sinnend stehen.)*
Und was ist dein Beginnen? Hast du dir's
Auch redlich selbst bekannt? Du willst die Macht,
Die ruhig, sicher thronende erschüttern,

Die in verjährt geheiligtem Besitz,
In der Gewohnheit festgegründet ruht,
Die an der Völker frommem Kinderglauben
Mit tausend zähen Wurzeln sich befestigt.
Das wird kein Kampf der Kraft sein mit der Kraft,
*Den* fürcht ich nicht. Mit jedem Gegner wag ich's,          200
Den ich kann sehen und ins Auge fassen,
Der, selbst voll Mut, auch mir den Mut entflammt.
Ein unsichtbarer Feind ist's, den ich fürchte,
Der in der Menschen Brust mir widersteht,
Durch feige Furcht allein mir fürchterlich –
Nicht, was lebendig kraftvoll sich verkündigt,
Ist das gefährlich Furchtbare. Das ganz
Gemeine ist's, das ewig Gestrige,
Was immer war und immer wiederkehrt
Und morgen gilt, weil's heute hat gegolten!          210
Denn aus Gemeinem ist der Mensch gemacht,
Und die Gewohnheit nennt er seine Amme.
Weh dem, der an den würdig alten Hausrat
Ihm rührt, das teure Erbstück seiner Ahnen!
Das *Jahr* übt eine heiligende Kraft;
Was grau für Alter ist, das ist ihm göttlich.
Sei im Besitze, und du wohnst im Recht,
Und heilig wird's die Menge dir bewahren.
*(Zu dem Pagen, der hereintritt.)*
Der schwed'sche Oberst? Ist er's? Nun, er komme.
*(Page geht. Wallenstein hat den Blick nachdenkend auf die*
*Türe geheftet.)*
Noch ist sie rein – noch! Das Verbrechen kam          220
Nicht über diese Schwelle noch – So schmal ist
Die Grenze, die zwei Lebenspfade scheidet!


FÜNFTER AUFTRITT

*Wallenstein und Wrangel.*

W a l l e n s t e i n *(nachdem er einen forschenden Blick auf*
*ihn geheftet).* Ihr nennt Euch Wrangel?
W r a n g e l.                    Gustav Wrangel, Oberst
Vom blauen Regimente Südermannland.
W a l l e n s t e i n.
Ein Wrangel war's, der vor Stralsund viel Böses

Mir zugefügt, durch tapfre Gegenwehr
Schuld war, daß mir die Seestadt widerstanden.

W r a n g e l.
Das Werk des Elements, mit dem Sie kämpften,
Nicht mein Verdienst, Herr Herzog! Seine Freiheit
Verteidigte mit Sturmes Macht der Belt,                        230
Es sollte Meer und Land nicht *einem* dienen.

W a l l e n s t e i n.
Den Admiralshut rißt Ihr mir vom Haupt.

W r a n g e l. Ich komme, eine Krone drauf zu setzen.

W a l l e n s t e i n (*winkt ihm, Platz zu nehmen, setzt sich*).
Euer Kreditiv. Kommt Ihr mit ganzer Vollmacht?

W r a n g e l (*bedenklich*).
Es sind so manche Zweifel noch zu lösen –

W a l l e n s t e i n (*nachdem er gelesen*).
Der Brief hat Händ' und Füß'. Es ist ein klug,
Verständig Haupt, Herr Wrangel, dem Ihr dienet.
Es schreibt der Kanzler: er vollziehe nur
Den eignen Einfall des verstorbnen Königs,
Indem er mir zur böhm'schen Kron' verhelfe.                    240

W r a n g e l. Er sagt, was wahr ist. Der Hochselige
Hat immer groß gedacht von Euer Gnaden
Fürtrefflichem Verstand und Feldherrngaben,
Und stets der Herrschverständigste, beliebt' ihm
Zu sagen, sollte Herrscher sein und König.

W a l l e n s t e i n. Er durft' es sagen.
(*Seine Hand vertraulich fassend.*)
Aufrichtig, Oberst Wrangel – Ich war stets
Im Herzen auch gut schwedisch – Ei, das habt ihr
In Schlesien erfahren und bei Nürnberg.
Ich hatt' euch oft in meiner Macht und ließ            250
Durch eine Hintertür euch stets entwischen.
Das ist's, was sie in Wien mir nicht verzeihn,
Was jetzt zu diesem Schritt mich treibt – Und weil
Nun unser Vorteil so zusammengeht,
So laßt uns zu einander auch ein recht
Vertrauen fassen.

W r a n g e l.          Das Vertraun wird kommen,
Hat jeder nur erst seine Sicherheit.

W a l l e n s t e i n.
Der Kanzler, merk ich, traut mir noch nicht recht.
Ja, ich gesteh's – Es liegt das Spiel nicht ganz

Zu meinem Vorteil – Seine Würden meint,                    260
Wenn ich dem Kaiser, der mein Herr ist, so
Mitspielen kann, ich könn' das gleiche tun
Am Feinde, und das *eine* wäre mir
Noch eher zu verzeihen als das *andre*.
Ist das nicht Eure Meinung auch, Herr Wrangel?
W r a n g e l. Ich hab hier bloß ein Amt und keine Meinung.
W a l l e n s t e i n. Der Kaiser hat mich bis zum Äußersten
Gebracht. Ich kann ihm nicht mehr ehrlich dienen.
Zu meiner Sicherheit, aus Notwehr tu ich
Den harten Schritt, den mein Bewußtsein tadelt.    270
W r a n g e l.
Ich glaub's. So weit geht niemand, der nicht muß.
*(Nach einer Pause.)* Was Eure Fürstlichkeit bewegen mag,
Also zu tun an Ihrem Herrn und Kaiser,
Gebührt nicht uns zu richten und zu deuten.
Der Schwede ficht für seine gute Sach'
Mit seinem guten Degen und Gewissen.
Die Konkurrenz ist, die Gelegenheit
Zu unsrer Gunst, im Krieg gilt jeder Vorteil,
Wir nehmen unbedenklich, was sich bietet;
Und wenn sich alles richtig so verhält –    280
W a l l e n s t e i n.
Woran denn zweifelt man? An meinem Willen?
An meinen Kräften? Ich versprach dem Kanzler,
Wenn *er* mir sechzehntausend Mann vertraut,
Mit achtzehntausend von des Kaisers Heer
Dazuzustoßen –
W r a n g e l.          Euer Gnaden sind
Bekannt für einen hohen Kriegesfürsten,
Für einen zweiten Attila und Pyrrhus.
Noch mit Erstaunen redet man davon,
Wie Sie vor Jahren, gegen Menschendenken,
Ein Heer wie aus dem Nichts hervorgerufen.    290
Jedennoch –
W a l l e n s t e i n. Dennoch?
W r a n g e l.                    Seine Würden meint,
Ein leichter Ding doch möcht' es sein, mit nichts
Ins Feld zu stellen sechzigtausend Krieger,
Als nur ein Sechzigteil davon – *(er hält inne)*
W a l l e n s t e i n.                    Nun, was?
Nur frei heraus!

W r a n g e l.          Zum Treubruch zu verleiten.
W a l l e n s t e i n.
  Meint er? Er urteilt wie ein Schwed' und wie
  Ein Protestant. Ihr Lutherischen fechtet
  Für eure Bibel, euch ist's um die Sach';
  Mit eurem *Herzen* folgt ihr eurer Fahne. –
  Wer zu dem Feinde läuft von *euch*, der hat          300
  Mit zweien Herrn zugleich den Bund gebrochen.
  Von all dem ist die Rede nicht bei uns –
W r a n g e l. Herr Gott im Himmel! Hat man hierzulande
  Denn keine Heimat, keinen Herd und Kirche?
W a l l e n s t e i n. Ich will Euch sagen, wie das zugeht – Ja,
  Der Österreicher *hat* ein Vaterland
  Und liebt's und hat auch Ursach', es zu lieben.
  Doch *dieses* Heer, das kaiserlich sich nennt,
  Das hier in Böheim hauset, das hat keins;
  Das ist der Auswurf fremder Länder, ist          310
  Der aufgegebne Teil des Volks, dem nichts
  Gehöret als die allgemeine Sonne.
  Und dieses böhm'sche Land, um das wir fechten,
  Das hat kein Herz für seinen Herrn, den ihm
  Der Waffen Glück, nicht eigne Wahl gegeben.
  Mit Murren trägt's des Glaubens Tyrannei,
  Die Macht hat's eingeschreckt, beruhigt nicht.
  Ein glühend, rachvoll Angedenken lebt
  Der Greuel, die geschahn auf diesem Boden.
  Und kann's der Sohn vergessen, daß der Vater          320
  Mit Hunden in die Messe ward gehetzt?
  Ein Volk, dem *das* geboten wird, ist schrecklich,
  Es räche oder dulde die Behandlung.
W r a n g e l. Der Adel aber und die Offiziere?
  Solch eine Flucht und Felonie, Herr Fürst,
  Ist ohne Beispiel in der Welt Geschichten.
W a l l e n s t e i n. Sie sind auf jegliche Bedingung mein.
  Nicht mir, den eignen Augen mögt Ihr glauben.
  (*Er gibt ihm die Eidesformel. Wrangel durchliest sie und
    legt sie, nachdem er gelesen, schweigend auf den Tisch.*)
  Wie ist's? Begreift Ihr nun?
W r a n g e l.                    Begreif's, wer's kann!
  Herr Fürst! Ich laß die Maske fallen – Ja!          330
  Ich habe Vollmacht, alles abzuschließen.
  Es steht der Rheingraf nur vier Tagemärsche

Von hier mit funfzehntausend Mann, er wartet
Auf Ordre nur, zu Ihrem Heer zu stoßen.
Die Ordre stell ich aus, sobald wir einig.

W a l l e n s t e i n. Was ist des Kanzlers Forderung?

W r a n g e l *(bedenklich)*.
Zwölf Regimenter gilt es, schwedisch Volk.
Mein Kopf muß dafür haften. Alles könnte
Zuletzt nur falsches Spiel –

W a l l e n s t e i n *(fährt auf)*.   Herr Schwede!

W r a n g e l *(ruhig fortfahrend)*.        Muß demnach
Darauf bestehn, daß Herzog Friedland förmlich,        340
Unwiderruflich breche mit dem Kaiser,
Sonst ihm kein schwedisch Volk vertrauet wird.

W a l l e n s t e i n.
Was ist die Forderung? Sagt's kurz und gut.

W r a n g e l. Die span'schen Regimenter, die dem Kaiser
Ergeben, zu entwaffnen, Prag zu nehmen
Und diese Stadt wie auch das Grenzschloß Eger
Den Schweden einzuräumen.

W a l l e n s t e i n.        Viel gefordert!
Prag! Sei's um Eger! Aber Prag? Geht nicht.
Ich leist euch jede Sicherheit, die ihr
Vernünft'gerweise von mir fordern möget.        350
Prag aber – Böhmen – kann ich selbst beschützen.

W r a n g e l. Man zweifelt nicht daran. Es ist uns auch
Nicht ums Beschützen bloß. Wir wollen Menschen
Und Geld umsonst nicht aufgewendet haben.

W a l l e n s t e i n. Wie billig.

W r a n g e l.        Und so lang, bis wir entschädigt,
Bleibt Prag verpfändet.

W a l l e n s t e i n.        Traut ihr uns so wenig?

W r a n g e l *(steht auf)*.
Der Schwede muß sich vorsehn mit dem Deutschen.
Man hat uns übers Ostmeer hergerufen;
Gerettet haben wir vom Untergang
Das Reich – mit unserm Blut des Glaubens Freiheit,        360
Die heil'ge Lehr' des Evangeliums
Versiegelt – Aber jetzt schon fühlet man
Nicht mehr die Wohltat, nur die Last, erblickt
Mit scheelem Aug' die Fremdlinge im Reiche
Und schickte gern mit einer Handvoll Geld
Uns heim in unsre Wälder. Nein! wir haben

Um Judas' Lohn, um klingend Gold und Silber
Den König auf der Walstatt nicht gelassen!
So vieler Schweden adeliges Blut,
Es ist um Gold und Silber nicht geflossen!                    370
Und nicht mit magerm Lorbeer wollen wir
Zum Vaterland die Wimpel wieder lüften,
Wir wollen *Bürger* bleiben auf dem Boden,
Den unser König fallend sich erobert.

Wallenstein.
Helft den gemeinen Feind mir niederhalten,
Das schöne Grenzland kann euch nicht entgehn.

Wrangel. Und liegt zu Boden der gemeine Feind,
Wer knüpft die neue Freundschaft dann zusammen?
Uns ist bekannt, Herr Fürst – wenngleich der Schwede
Nichts davon merken soll – daß Ihr mit Sachsen          380
Geheime Unterhandlung pflegt. Wer bürgt uns
Dafür, daß *wir* nicht Opfer der Beschlüsse sind,
Die man vor uns zu hehlen nötig achtet?

Wallenstein. Wohl wählte sich der Kanzler seinen Mann,
Er hätt' mir keinen zähern schicken können. *(Aufstehend.)*
Besinnt Euch eines Bessern, Gustav Wrangel.
Von Prag nichts mehr.

Wrangel.                    Hier endigt meine Vollmacht.

Wallenstein.
Euch meine Hauptstadt räumen! Lieber tret ich
Zurück – zu meinem Kaiser.

Wrangel.                    Wenn's noch Zeit ist.

Wallenstein.
Das steht bei mir, noch jetzt, zu jeder Stunde.          390

Wrangel.
Vielleicht vor wenig Tagen noch. Heut nicht mehr.
– Seit der Sesin gefangen sitzt, nicht mehr.
          *(Wie Wallenstein betroffen schweigt.)*
Herr Fürst! Wir glauben, daß Sie's ehrlich meinen;
Seit *gestern* – sind wir des gewiß – Und nun
Dies Blatt uns für die *Truppen* bürgt, ist nichts,
Was dem Vertrauen noch im Wege stünde.
Prag soll uns nicht entzweien. Mein Herr Kanzler
Begnügt sich mit der Altstadt, Euer Gnaden
Läßt er den Ratschin und die kleine Seite.
Doch Eger muß vor allem sich uns öffnen,                    400
Eh' an Konjunktion zu denken ist.

W a l l e n s t e i n. *Euch* also soll ich trauen, ihr nicht mir?
   Ich will den Vorschlag in Erwägung ziehn.
W r a n g e l. In keine gar zu lange, muß ich bitten.
   Ins zweite Jahr schon schleicht die Unterhandlung;
   Erfolgt auch diesmal nichts, so will der Kanzler
   Auf immer sie für abgebrochen halten.
W a l l e n s t e i n.
   Ihr drängt mich sehr. Ein solcher Schritt will wohl
   Bedacht sein.
W r a n g e l.          Eh' man überhaupt dran denkt,
   Herr Fürst! Durch rasche Tat nur kann er glücken.          410
   (*Er geht ab.*)


### SECHSTER AUFTRITT

*Wallenstein. Terzky und Illo kommen zurück.*

I l l o. Ist's richtig?
T e r z k y.          Seid ihr einig?
I l l o.                    Dieser Schwede
   Ging ganz zufrieden fort. Ja, ihr seid einig.
W a l l e n s t e i n.
   Hört! Noch ist nichts geschehn, und – wohl erwogen,
   Ich will es lieber doch nicht tun.
T e r z k y.                    Wie? Was ist das?
W a l l e n s t e i n. Von dieser Schweden Gnade leben!
   Der Übermütigen? Ich trüg' es nicht.
I l l o. Kommst du als Flüchtling, ihre Hilf' erbettelnd?
   Du bringest ihnen mehr, als du empfängst.
W a l l e n s t e i n.
   Wie war's mit jenem königlichen Bourbon,
   Der seines Volkes Feinde sich verkaufte          420
   Und Wunden schlug dem eignen Vaterland?
   Fluch war sein Lohn, der Menschen Abscheu rächte
   Die unnatürlich frevelhafte Tat.
I l l o. Ist das *dein* Fall?
W a l l e n s t e i n.          Die Treue, sag ich euch,
   Ist jedem Menschen wie der nächste Blutsfreund,
   Als ihren Rächer fühlt er sich geboren.
   Der Sekten Feindschaft, der Parteien Wut,
   Der alte Neid, die Eifersucht macht Friede;
   Was noch so wütend ringt, sich zu zerstören,

Verträgt, vergleicht sich, den *gemeinen* Feind                430
Der Menschlichkeit, das wilde Tier zu jagen,
Das mordend einbricht in die sichre Hürde,
Worin der Mensch geborgen wohnt – denn ganz
Kann ihn die eigne Klugheit nicht beschirmen.
Nur an die Stirne setzt' ihm die Natur
Das Licht der Augen, fromme Treue soll
Den bloßgegebnen Rücken ihm beschützen.
Terzky. Denk von dir selbst nicht schlimmer als der Feind,
Der zu der Tat die Hände freudig bietet.
So zärtlich dachte jener Karl auch nicht,                      440
Der Ohm und Ahnherr dieses Kaiserhauses,
Der nahm den Bourbon auf mit offnen Armen,
Denn nur vom Nutzen wird die Welt regiert.


SIEBENTER AUFTRITT

*Gräfin Terzky zu den Vorigen.*

Wallenstein.
    Wer ruft Euch? Hier ist kein Geschäft für Weiber.
Gräfin. Ich komme, meinen Glückwunsch abzulegen.
    – Komm ich zu früh etwa? Ich will nicht hoffen.
Wallenstein.
    Gebrauch dein Ansehn, Terzky. Heiß sie gehn.
Gräfin. Ich gab den Böhmen einen König schon.
Wallenstein. Er war darnach.
Gräfin *(zu den andern).*   Nun, woran liegt es? Sprecht!
Terzky. Der Herzog will nicht.
Gräfin.                         Will nicht, was er muß? 450
Illo. An Euch ist's jetzt. Versucht's, denn ich bin fertig,
    Spricht man von Treue mir und von Gewissen.
Gräfin. Wie? da noch alles lag in weiter Ferne,
    Der Weg sich noch unendlich vor dir dehnte,
    Da hattest du Entschluß und Mut – und jetzt,
    Da aus dem Traume Wahrheit werden will,
    Da die Vollbringung nahe, der Erfolg
    Versichert ist, da fängst du an, zu zagen?
    Nur in Entwürfen bist du tapfer, feig
    In Taten? Gut! Gib deinen Feinden Recht!            460
    Da eben ist es, wo sie dich erwarten.
    Den Vorsatz glauben sie dir gern; sei sicher,

Daß sie's mit Brief und Siegel dir belegen!
Doch an die Möglichkeit der Tat glaubt keiner,
Da müßten sie dich fürchten und dich achten.
Ist's möglich? Da du so weit bist gegangen,
Da man das Schlimmste weiß, da dir die Tat
Schon als begangen zugerechnet wird,
Willst du zurückziehn und die Frucht verlieren?
Entworfen bloß ist's ein gemeiner Frevel,          470
Vollführt ist's ein unsterblich Unternehmen;
Und wenn es glückt, so ist es auch verziehn,
Denn aller Ausgang ist ein Gottes Urtel.
K a m m e r d i e n e r *(tritt herein).*
   Der Oberst Piccolomini.
G r ä f i n *(schnell).*        Soll warten.
W a l l e n s t e i n.
   Ich kann ihn jetzt nicht sehn. Ein andermal.
K a m m e r d i e n e r. Nur um zwei Augenblicke bittet er,
   Er hab ein dringendes Geschäft –
W a l l e n s t e i n.
   Wer weiß, was er uns bringt. Ich will doch hören.
G r ä f i n *(lacht).*
   Wohl mag's *ihm* dringend sein. Du kannst's erwarten.
W a l l e n s t e i n. Was ist's?
G r ä f i n.        Du sollst es nachher wissen. 480
   Jetzt denke dran, den Wrangel abzufert'gen.
                    *(Kammerdiener geht.)*
W a l l e n s t e i n.
   Wenn eine Wahl noch wäre – noch ein milderer
   Ausweg sich fände – jetzt noch will ich ihn
   Erwählen und das Äußerste vermeiden.
G r ä f i n. Verlangst du weiter nichts, ein solcher Weg
   Liegt nah vor dir. Schick diesen Wrangel fort.
   Vergiß die alten Hoffnungen, wirf dein
   Vergangnes Leben weg, entschließe dich,
   Ein neues anzufangen. Auch die Tugend
   Hat ihre Helden, wie der Ruhm, das Glück.          490
   Reis hin nach Wien zum Kaiser stehndes Fußes,
   Nimm eine volle Kasse mit, erklär,
   Du hab'st der Diener Treue nur erproben,
   Den Schweden bloß zum besten haben wollen.
I l l o. Auch damit ist's zu spät. Man weiß zu viel.
   Er würde nur das Haupt zum Todesblocke tragen.

G r ä f i n.  Das fürcht ich nicht. Gesetzlich ihn zu richten,
Fehlt's an Beweisen; Willkür meiden sie.
Man wird den Herzog ruhig lassen ziehn.
Ich seh, wie alles kommen wird. Der König                    500
Von Ungarn wird erscheinen, und es wird sich
Von selbst verstehen, daß der Herzog geht;
Nicht der Erklärung wird das erst bedürfen.
Der König wird die Truppen lassen schwören,
Und alles wird in seiner Ordnung bleiben.
An einem Morgen ist der Herzog fort.
Auf seinen Schlössern wird es nun lebendig,
Dort wird er jagen, baun, Gestüte halten,
Sich eine Hofstatt gründen, goldne Schlüssel
Austeilen, gastfrei große Tafel geben,                       510
Und kurz ein großer König sein – im Kleinen!
Und weil er klug sich zu bescheiden weiß,
Nichts wirklich mehr zu gelten, zu bedeuten,
Läßt man ihn scheinen, was er mag; er wird
Ein großer Prinz bis an sein Ende scheinen.
Ei nun! der Herzog ist dann eben auch
Der neuen Menschen einer, die der Krieg
Emporgebracht; ein übernächtiges
Geschöpf der Hofgunst, die mit gleichem Aufwand
Freiherrn und Fürsten macht.                                 520
W a l l e n s t e i n  *(steht auf, heftig bewegt).*
Zeigt einen Weg mir an aus diesem Drang,
Hilfreiche Mächte! einen *solchen* zeigt mir,
Den *ich* vermag zu gehn – Ich kann mich nicht,
Wie so ein Wortheld, so ein Tugendschwätzer,
An meinem Willen wärmen und Gedanken –
Nicht zu dem Glück, das mir den Rücken kehrt,
Großtuend sagen: Geh! Ich brauch dich nicht!
Wenn ich nicht wirke mehr, bin ich vernichtet;
Nicht Opfer, nicht Gefahren will ich scheun,
Den letzten Schritt, den äußersten, zu meiden;              530
Doch eh' ich sinke in die Nichtigkeit,
So klein aufhöre, der so groß begonnen,
Eh' mich die Welt mit jenen Elenden
Verwechselt, die der Tag erschafft und stürzt,
Eh' spreche Welt und Nachwelt meinen Namen
Mit Abscheu aus, und Friedland sei die Losung
Für jede fluchenswerte Tat.

G r ä f i n.  Was ist denn hier so wider die Natur?
  Ich kann's nicht finden, sage mir's – oh! laß
  Des Aberglaubens nächtliche Gespenster          540
  Nicht deines hellen Geistes Meister werden!
  Du bist des Hochverrats verklagt; ob mit
  – Ob ohne Recht, ist jetzo nicht die Frage –
  Du bist verloren, wenn du dich nicht schnell der Macht
  Bedienst, die du besitzest – Ei! wo lebt denn
  Das friedsame Geschöpf, das seines Lebens
  Sich nicht mit allen Lebenskräften wehrt?
  Was ist so kühn, das Notwehr nicht entschuldigt?
W a l l e n s t e i n.
  Einst war mir dieser Ferdinand so huldreich;
  Er liebte mich, er hielt mich wert, ich stand          550
  Der Nächste seinem Herzen. Welchen Fürsten
  Hat er geehrt wie mich? – Und so zu enden!
G r ä f i n.  So treu bewahrst du jede kleine Gunst,
  Und für die Kränkung hast du kein Gedächtnis?
  Muß ich dich dran erinnern, wie man dir
  Zu Regenspurg die treuen Dienste lohnte?
  Du hattest jeden Stand im Reich beleidigt,
  Ihn groß zu machen, hattest du den Haß,
  Den Fluch der ganzen Welt auf dich geladen,
  Im ganzen Deutschland lebte dir kein Freund,          560
  Weil du allein gelebt für deinen Kaiser.
  An ihn bloß hieltest du bei jenem Sturme
  Dich fest, der auf dem Regenspurger Tag
  Sich gegen dich zusammenzog – da ließ er
  Dich fallen! Ließ dich fallen! Dich dem Bayern,
  Dem Übermütigen, zum Opfer fallen!
  Sag nicht, daß die zurückgegebne Würde
  Das erste, schwere Unrecht ausgesöhnt.
  Nicht wahrlich guter Wille stellte dich,
  Dich stellte das Gesetz der herben Not          570
  An diesen Platz, den man dir gern verweigert.
W a l l e n s t e i n.  Nicht ihrem guten Willen, das ist wahr!
  Noch seiner Neigung dank ich dieses Amt.
  Mißbrauch ich's, so mißbrauch ich kein Vertrauen.
G r ä f i n.  Vertrauen? Neigung? – Man bedurfte deiner!
  Die ungestüme Presserin, die *Not*,
  Der nicht mit hohlen Namen, Figuranten
  Gedient ist, die die *Tat* will, nicht das *Zeichen*,

Den Größten immer aufsucht und den Besten,
Ihn an das Ruder stellt, und müßte sie ihn          580
Aufgreifen aus dem Pöbel selbst – die setzte dich
In dieses Amt und schrieb dir die Bestallung.
Denn lange, bis es nicht mehr kann, behilft
Sich dies Geschlecht mit feilen Sklavenseelen
Und mit den Drahtmaschinen seiner Kunst –
Doch wenn das Äußerste ihm nahe tritt,
Der hohle Schein es nicht mehr tut, da fällt
Es in die starken Hände der Natur,
Des Riesengeistes, der nur *sich* gehorcht,
Nichts von Verträgen weiß und nur auf *ihre*          590
Bedingung, nicht auf *seine*, mit ihm handelt.

Wallenstein.
Wahr ist's! Sie sahn mich immer, wie ich bin,
Ich hab sie in dem Kaufe nicht betrogen,
Denn nie hielt ich's der Mühe wert, die kühn
Umgreifende Gemütsart zu verbergen.

Gräfin. Vielmehr – du hast dich furchtbar stets gezeigt.
Nicht *du*, der stets sich selber treu geblieben,
*Die* haben Unrecht, die dich fürchteten
Und doch die Macht dir in die Hände gaben.
Denn Recht hat jeder eigene Charakter,          600
Der übereinstimmt mit sich selbst, es gibt
Kein andres Unrecht als den Widerspruch.
Warst du ein andrer, als du vor acht Jahren
Mit Feuer und Schwert durch Deutschlands Kreise zogst,
Die Geißel schwangest über alle Länder,
Hohn sprachest allen Ordnungen des Reichs,
Der Stärke fürchterliches Recht nur übtest
Und jede Landeshoheit niedertratst,
Um deines Sultans Herrschaft auszubreiten?
Da war es Zeit, den stolzen Willen dir          610
Zu brechen, dich zur Ordnung zu verweisen!
Doch wohl gefiel dem Kaiser, was ihm nützte,
Und schweigend drückt' er diesen Freveltaten
Sein kaiserliches Siegel auf. Was damals
Gerecht war, weil du's *für ihn* tatst, ist's heute
Auf einmal schändlich, weil es *gegen ihn*
Gerichtet wird?

Wallenstein *(aufstehend)*.
Von dieser Seite sah ich's nie – Ja! dem

Ist wirklich so. Es übte dieser Kaiser
Durch meinen Arm im Reiche Taten aus,                           620
Die nach der Ordnung nie geschehen sollten.
Und selbst den Fürstenmantel, den ich trage,
Verdank ich Diensten, die Verbrechen sind.

G r ä f i n.  Gestehe denn, daß zwischen dir und ihm
Die Rede nicht kann sein von Pflicht und Recht,
Nur von der Macht und der *Gelegenheit!*
Der Augenblick ist da, wo du die Summe
Der großen Lebensrechnung ziehen sollst,
Die Zeichen stehen sieghaft über dir,
Glück winken die Planeten dir herunter                          630
Und rufen: es ist an der Zeit! Hast du
Dein Lebenlang umsonst der Sterne Lauf
Gemessen? – den Quadranten und den Zirkel
Geführt? – den Zodiak, die Himmelskugel
Auf diesen Wänden nachgeahmt, um dich herum
Gestellt in stummen, ahnungsvollen Zeichen
Die sieben Herrscher des Geschicks,
Nur um ein eitles Spiel damit zu treiben?
Führt alle diese Zurüstung zu nichts,
Und ist kein Mark in dieser hohlen Kunst,                       640
Daß sie dir selbst nichts gilt, nichts über dich
Vermag im Augenblicke der Entscheidung?

W a l l e n s t e i n  (*ist während dieser letzten Rede mit hef-*
*tig arbeitendem Gemüt auf und ab gegangen und steht*
*jetzt plötzlich still, die Gräfin unterbrechend*).
Ruft mir den Wrangel, und es sollen gleich
Drei Boten satteln.

I l l o.            Nun, gelobt sei Gott! (*Eilt hinaus.*)

W a l l e n s t e i n.  Es ist sein böser Geist und meiner. *Ihn*
Straft er durch mich, das Werkzeug seiner Herrschsucht,
Und ich erwart es, daß der Rache Stahl
Auch schon für *meine* Brust geschliffen ist.
Nicht hoffe, wer des Drachen Zähne sät,
Erfreuliches zu ernten. Jede Untat                              650
Trägt ihren eignen Rache-Engel schon,
Die böse Hoffnung, unter ihrem Herzen.
      Er kann mir nicht mehr traun, – so kann ich auch
Nicht mehr zurück. Geschehe denn, was muß.
Recht stets behält das Schicksal, denn das Herz
In uns ist sein gebietrischer Vollzieher.

*(Zu Terzky.)* Bring mir den Wrangel in mein Kabinett,
Die Boten will ich selber sprechen. Schickt
Nach dem Octavio!
*(Zur Gräfin, welche eine triumphierende Miene macht.)*
     Frohlocke nicht!
Denn eifersüchtig sind des Schicksals Mächte.   660
Voreilig Jauchzen greift in ihre Rechte.
Den Samen legen wir in ihre Hände,
Ob Glück, ob Unglück aufgeht, lehrt das Ende.
    *(Indem er abgeht, fällt der Vorhang.)*


# ZWEITER AUFZUG

*Ein Zimmer.*


### ERSTER AUFTRITT

*Wallenstein. Octavio Piccolomini. Bald darauf Max Picco-*
*lomini.*

W a l l e n s t e i n.  Mir meldet er aus Linz, er läge krank,
 Doch hab ich sichre Nachricht, daß er sich
 Zu Frauenberg versteckt beim Grafen Gallas.
 Nimm beide fest und schick sie mir hieher.
 Du übernimmst die spanischen Regimenter,
 Machst immer Anstalt und bist niemals fertig,
 Und treiben sie dich, gegen mich zu ziehn,   670
 So sagst du Ja und bleibst gefesselt stehn.
 Ich weiß, daß dir ein Dienst damit geschieht,
 In diesem Spiel dich müßig zu verhalten.
 Du rettest gern, so lang du kannst, den Schein;
 Extreme Schritte sind nicht deine Sache,
 Drum hab ich diese Rolle für dich ausgesucht,
 Du wirst mir durch dein Nichtstun diesesmal
 Am nützlichsten – Erklärt sich unterdessen
 Das Glück für mich, so weißt du, was zu tun.
    *(Max Piccolomini tritt ein.)*
 Jetzt, Alter, geh. Du mußt heut nacht noch fort. 680
 Nimm meine eignen Pferde. – Diesen da

Behalt ich hier – Macht's mit dem Abschied kurz!
Wir werden uns ja, denk ich, alle froh
Und glücklich wiedersehn.
O c t a v i o *(zu seinem Sohn).* Wir sprechen uns noch.
*(Geht ab.)*

### ZWEITER AUFTRITT

*Wallenstein. Max Piccolomini.*

M a x *(nähert sich ihm).* Mein General –
W a l l e n s t e i n.             Der bin ich nicht mehr,
Wenn du des Kaisers Offizier dich nennst.
M a x. So bleibt's dabei, du willst das Heer verlassen?
W a l l e n s t e i n. Ich hab des Kaisers Dienst entsagt.
M a x. Und willst das Heer verlassen?
W a l l e n s t e i n.             Vielmehr hoff ich,
Mir's enger noch und fester zu verbinden. *(Er setzt sich.)*
Ja, Max. Nicht eher wollt' ich dir's eröffnen,                691
Als bis des Handelns Stunde würde schlagen.
Der Jugend glückliches Gefühl ergreift
Das Rechte leicht, und eine Freude ist's,
Das eigne Urteil prüfend auszuüben,
Wo das Exempel rein zu lösen ist.
Doch, wo von zwei gewissen Übeln eins
Ergriffen werden muß, wo sich das Herz
Nicht *ganz* zurückbringt aus dem Streit der Pflichten,
Da ist es Wohltat, keine Wahl zu haben,                700
Und eine Gunst ist die Notwendigkeit.
– Die ist vorhanden. Blicke nicht zurück.
Es kann dir nichts mehr helfen. Blicke vorwärts!
Urteile nicht! Bereite dich, zu handeln.
– Der Hof hat meinen Untergang beschlossen,
Drum bin ich willens, ihm zuvorzukommen.
– Wir werden mit den Schweden uns verbinden.
Sehr wackre Leute sind's und gute Freunde.
*(Hält ein, Piccolominis Antwort erwartend.)*
– Ich hab dich überrascht. Antwort mir nicht.
Ich will dir Zeit vergönnen, dich zu fassen.                710
*(Er steht auf und geht nach hinten. Max steht lange unbe-
weglich, in den heftigsten Schmerz versetzt; wie er eine Be-
wegung macht, kömmt Wallenstein zurück und stellt sich vor
ihn.)*

M a x.  Mein General! – Du machst mich heute mündig.
  Denn bis auf diesen Tag war mir's erspart,
  Den Weg mir selbst zu finden und die Richtung.
  Dir folgt' ich unbedingt. Auf dich nur braucht' ich
  Zu sehn und war des rechten Pfads gewiß.
  Zum ersten Male heut verweisest du
  Mich an mich selbst und zwingst mich, eine Wahl
  Zu treffen zwischen dir und meinem Herzen.
W a l l e n s t e i n.  Sanft wiegte dich bis heute dein Geschick,
  Du konntest spielend deine Pflichten üben,                    720
  Jedwedem schönen Trieb Genüge tun,
  Mit ungeteiltem Herzen immer handeln.
  So kann's nicht ferner bleiben. Feindlich scheiden
  Die Wege sich. Mit Pflichten streiten Pflichten.
  Du mußt Partei ergreifen in dem Krieg,
  Der zwischen deinem Freund und deinem Kaiser
  Sich jetzt entzündet.
M a x.                     Krieg! Ist das der Name?
  Der Krieg ist schrecklich, wie des Himmels Plagen,
  Doch er ist gut, ist ein Geschick, wie sie.
  Ist das ein guter Krieg, den du dem Kaiser                    730
  Bereitest mit des Kaisers eignem Heer?
  O Gott des Himmels! was ist das für eine
  Veränderung! Ziemt solche Sprache mir
  Mit dir, der wie der feste Stern des Pols
  Mir als die Lebensregel vorgeschienen!
  Oh! welchen Riß erregst du mir im Herzen!
  Der alten Ehrfurcht eingewachsnen Trieb
  Und des Gehorsams heilige Gewohnheit
  Soll ich versagen lernen deinem Namen?
  Nein! wende nicht dein Angesicht zu mir!              740
  Es war mir immer eines Gottes Antlitz,
  Kann über mich nicht gleich die Macht verlieren;
  Die Sinne sind in deinen Banden noch,
  Hat gleich die Seele blutend sich befreit!
W a l l e n s t e i n.  Max, hör mich an.
M a x.                     Oh! tu es nicht! Tu's nicht!
  Sieh! deine reinen, edeln Züge wissen
  Noch nichts von dieser unglücksel'gen Tat.
  Bloß deine Einbildung befleckte sie,
  Die Unschuld will sich nicht vertreiben lassen
  Aus deiner hoheitblickenden Gestalt.                  750

Wirf ihn heraus, den schwarzen Fleck, den Feind.
Ein böser Traum bloß ist es dann gewesen,
Der jede sichre Tugend warnt. Es mag
Die Menschheit solche Augenblicke haben,
Doch siegen muß das glückliche Gefühl.
Nein, du wirst *so* nicht endigen. Das würde
Verrufen bei den Menschen jede große
Natur und jedes mächtige Vermögen,
Recht geben würd' es dem gemeinen Wahn,
Der nicht an Edles in der Freiheit glaubt                760
Und nur der Ohnmacht sich vertrauen mag.

Wallenstein.
Streng wird die Welt mich tadeln, ich erwart es.
Mir selbst schon sagt' ich, was du sagen kannst.
Wer miede nicht, wenn er's umgehen kann,
Das Äußerste! Doch hier ist keine Wahl,
Ich muß Gewalt ausüben oder leiden –
So steht der Fall. Nichts anders bleibt mir übrig.

Max. Sei's denn! Behaupte dich in deinem Posten
Gewaltsam, widersetze dich dem Kaiser,
Wenn's sein muß, treib's zur offenen Empörung,                770
Nicht loben werd ich's, doch ich kann's verzeihn,
Will, was ich nicht gut heiße, mit dir teilen.
Nur – zum *Verräter* werde nicht! Das Wort
Ist ausgesprochen. Zum Verräter nicht!
Das ist kein überschrittnes Maß, kein Fehler,
Wohin der Mut verirrt in seiner Kraft.
Oh! das ist ganz was anders – das ist schwarz,
Schwarz, wie die Hölle!

Wallenstein *(mit finsterm Stirnfalten, doch gemäßigt).*
Schnell fertig ist die Jugend mit dem Wort,
Das schwer sich handhabt, wie des Messers Schneide;                780
Aus ihrem heißen Kopfe nimmt sie keck
Der Dinge Maß, die nur sich selber richten.
Gleich heißt ihr alles schändlich oder würdig,
Bös oder gut – und was die Einbildung
Phantastisch schleppt in diesen dunkeln Namen,
Das bürdet sie den Sachen auf und Wesen.
*Eng* ist die Welt, und das Gehirn ist *weit.*
Leicht beieinander wohnen die Gedanken,
Doch hart im Raume stoßen sich die Sachen;
Wo eines Platz nimmt, muß das andre rücken,                790

Wer nicht vertrieben sein will, muß vertreiben;
Da herrscht der Streit, und nur die Stärke siegt.
– Ja, wer durchs Leben gehet ohne Wunsch,
Sich jeden Zweck versagen kann, der wohnt
Im leichten Feuer mit dem Salamander
Und hält sich rein im reinen Element.
Mich schuf aus gröberm Stoffe die Natur,
Und zu der Erde zieht mich die Begierde.
Dem bösen Geist gehört die Erde, nicht
Dem guten. Was die Göttlichen uns senden          800
Von oben, sind nur allgemeine Güter;
Ihr Licht erfreut, doch macht es keinen reich,
In ihrem Staat erringt sich kein Besitz.
Den Edelstein, das allgeschätzte Gold
Muß man den falschen Mächten abgewinnen,
Die unterm Tage schlimmgeartet hausen.
Nicht ohne Opfer macht man sie geneigt,
Und keiner lebt, der aus ihrem Dienst
Die Seele hätte rein zurückgezogen.
M a x *(mit Bedeutung).*
  Oh! fürchte, fürchte diese falschen Mächte!          810
  Sie halten *nicht* Wort! Es sind Lügengeister,
  Die dich berückend in den Abgrund ziehn.
  Trau ihnen nicht! Ich warne dich – Oh! kehre
  Zurück zu deiner Pflicht. Gewiß! du kannst's!
  Schick mich nach Wien. Ja, tue das. Laß mich,
  Mich deinen Frieden machen mit dem Kaiser.
  Er kennt dich nicht, ich aber kenne dich,
  Er soll dich sehn mit meinem reinen Auge,
  Und sein Vertrauen bring ich dir zurück.
W a l l e n s t e i n .
  Es ist zu spät. Du weißt nicht, was geschehn.          820
M a x .  Und wär's zu spät – und wär' es auch soweit,
  Daß ein Verbrechen nur vom Fall dich rettet,
  So falle! Falle würdig, wie du standst.
  Verliere das Kommando. Geh vom Schauplatz.
  Du kannst's mit Glanze, tu's mit Unschuld auch.
  – Du hast für andre viel gelebt, leb endlich
  Einmal dir selber, ich begleite dich,
  Mein Schicksal trenn ich nimmer von dem deinen –
W a l l e n s t e i n .  Es ist zu spät. Indem du deine Worte
  Verlierst, ist schon ein Meilenzeiger nach dem andern          830

Zurückgelegt von meinen Eilenden,
Die mein Gebot nach Prag und Eger tragen.
– Ergib dich drein. Wir handeln, wie wir müssen.
So laß uns das Notwendige mit Würde,
Mit festem Schritte tun – Was tu ich Schlimmres,
Als jener Cäsar tat, des Name noch
Bis heut das Höchste in der Welt benennet?
Er führte wider Rom die Legionen,
Die Rom ihm zur Beschützung anvertraut.
Warf er das Schwert von sich, er war verloren,                840
Wie ich es wär', wenn ich entwaffnete.
Ich spüre was in mir von seinem Geist.
Gib mir sein Glück, das andre will ich tragen.
*(Max, der bisher in einem schmerzvollen Kampfe gestanden,*
*geht schnell ab. Wallenstein sieht ihm verwundert und be-*
*troffen nach und steht in tiefe Gedanken verloren.)*


DRITTER AUFTRITT

*Wallenstein. Terzky. Gleich darauf Illo.*

T e r z k y. Max Piccolomini verließ dich eben?
W a l l e n s t e i n. Wo ist der Wrangel?
T e r z k y.                                      Fort ist er.
W a l l e n s t e i n.                                              So eilig?
T e r z k y. Es war, als ob die Erd' ihn eingeschluckt.
Er war kaum von dir weg, als ich ihm nachging,
Ich hatt' ihn noch zu sprechen, doch – weg war er,
Und niemand wußte mir von ihm zu sagen.
Ich glaub, es ist der Schwarze selbst gewesen,                850
Ein Mensch kann nicht auf einmal so verschwinden.
I l l o *(kommt).*
Ist's wahr, daß du den Alten willst verschicken?
T e r z k y. Wie? Den Octavio! Wo denkst du hin?
W a l l e n s t e i n. Er geht nach Frauenberg, die spanischen
Und welschen Regimenter anzuführen.
T e r z k y. Das wolle Gott nicht, daß du das vollbringst!
I l l o. Dem Falschen willst du Kriegsvolk anvertrauen?
Ihn aus den Augen lassen, grade jetzt,
In diesem Augenblicke der Entscheidung?
T e r z k y. Das wirst du nicht tun. Nein, um alles nicht!   860
W a l l e n s t e i n. Seltsame Menschen seid ihr.

I l l o.                                          Oh! nur diesmal
  Gib unsrer Warnung nach. Laß ihn nicht fort.
W a l l e n s t e i n. Und warum soll ich ihm dies *eine* Mal
  Nicht trauen, da ich's stets getan? Was ist geschehn,
  Das ihn um meine gute Meinung brächte?
  Aus eurer Grille, nicht der meinen, soll ich
  Mein alt erprobtes Urteil von ihm ändern?
  Denkt nicht, daß ich ein Weib sei. Weil ich ihm
  Getraut *bis* heut, will ich auch *heut* ihm trauen.
T e r z k y.
  Muß es denn *der* just sein? Schick einen andern.           870
W a l l e n s t e i n. Der muß es sein, den hab ich mir erlesen.
  Er taugt zu dem Geschäft, drum gab ich's ihm.
I l l o. Weil er ein Welscher ist, drum taugt er dir.
W a l l e n s t e i n.
  Weiß wohl, ihr wart den beiden nie gewogen,
  Weil ich sie achte, liebe, euch und andern
  Vorziehe, sichtbarlich, wie sie's verdienen,
  Drum sind sie euch ein Dorn im Auge! Was
  Geht euer Neid *mich* an und mein Geschäft?
  Daß ihr sie haßt, das macht sie mir nicht schlechter.
  Liebt oder haßt einander, wie ihr wollt,                    880
  Ich lasse jedem seinen Sinn und Neigung,
  Weiß doch, was mir ein jeder von euch gilt.
I l l o. Er geht nicht ab – müßt' ich die Räder ihm am Wagen
  Zerschmettern lassen.
W a l l e n s t e i n.          Mäßige dich, Illo!
T e r z k y. Der Questenberger, als er hier gewesen,
  Hat stets zusammen auch gesteckt mit ihm.
W a l l e n s t e i n.
  Geschah mit meinem Wissen und Erlaubnis.
T e r z k y. Und daß geheime Boten an ihn kommen
  Vom Gallas, weiß ich auch.
W a l l e n s t e i n.          Das ist nicht wahr.
I l l o. Oh! du bist blind mit deinen sehenden Augen!          890
W a l l e n s t e i n.
  Du wirst mir meinen Glauben nicht erschüttern,
  Der auf die tiefste Wissenschaft sich baut.
  Lügt *er*, dann ist die ganze Sternkunst Lüge.
  Denn wißt, ich hab ein Pfand vom Schicksal selbst,
  Daß er der treuste ist von meinen Freunden.
I l l o. Hast du auch eins, daß jenes Pfand nicht lüge?

Wallenstein. Es gibt im Menschenleben Augenblicke,
  Wo er dem Weltgeist näher ist als sonst
  Und eine Frage frei hat an das Schicksal.
  Solch ein Moment war's, als ich in der Nacht,     900
  Die vor der Lützner Aktion vorherging,
  Gedankenvoll an einen Baum gelehnt,
  Hinaussah in die Ebene. Die Feuer
  Des Lagers brannten düster durch den Nebel,
  Der Waffen dumpfes Rauschen unterbrach,
  Der Runden Ruf einförmig nur die Stille.
  Mein ganzes Leben ging, vergangenes
  Und künftiges, in diesem Augenblick
  An meinem inneren Gesicht vorüber,
  Und an des nächsten Morgens Schicksal knüpfte   910
  Der ahnungsvolle Geist die fernste Zukunft.
    Da sagt' ich also zu mir selbst: »So vielen
  Gebietest du! Sie folgen deinen Sternen
  Und setzen, wie auf eine große Nummer,
  Ihr Alles auf dein einzig Haupt und sind
  In deines Glückes Schiff mit dir gestiegen.
  Doch kommen wird der Tag, wo diese alle
  Das Schicksal wieder auseinanderstreut,
  Nur wen'ge werden treu bei dir verharren.
  Den möcht' ich wissen, der der Treuste mir     920
  Von allen ist, die dieses Lager einschließt.
  Gib mir ein Zeichen, Schicksal! *Der* soll's sein,
  Der an dem nächsten Morgen mir zuerst
  Entgegenkommt mit einem Liebeszeichen.«
  Und dieses bei mir denkend, schlief ich ein.
    Und mitten in die Schlacht ward ich geführt
  Im Geist. Groß war der Drang. Mir tötete
  Ein Schuß das Pferd, ich sank, und über mir
  Hinweg, gleichgültig, setzten Roß und Reiter,
  Und keuchend lag ich, wie ein Sterbender,     930
  Zertreten unter ihrer Hufe Schlag.
  Da faßte plötzlich hilfreich mich ein Arm,
  Es war Octavios – und schnell erwach ich,
  Tag war es, und – Octavio stand vor mir.
  »Mein Bruder«, sprach er, »reite heute nicht
  Den Schecken, wie du pflegst. Besteige lieber
  Das sichre Tier, das ich dir ausgesucht.
  Tu's mir zu Lieb'. Es warnte mich ein Traum.«

Und dieses Tieres Schnelligkeit entriß
Mich Banniers verfolgenden Dragonern.                        940
Mein Vetter ritt den Schecken an dem Tag,
Und Roß und Reiter sah ich niemals wieder.
I l l o.  Das war ein Zufall.
W a l l e n s t e i n  *(bedeutend).*   Es gibt keinen Zufall;
Und was uns blindes Ohngefähr nur dünkt,
Gerade das steigt aus den tiefsten Quellen.
Versiegelt hab ich's und verbrieft, daß *er*
Mein guter Engel ist, und nun kein Wort mehr! *(Er geht.)*
T e r z k y.  Das ist mein Trost, der Max bleibt uns als Geisel.
I l l o.  Und der soll mir nicht lebend hier vom Platze.
W a l l e n s t e i n  *(bleibt stehen und kehrt sich um).*
Seid ihr nicht wie die Weiber, die beständig            950
Zurück nur kommen auf ihr erstes Wort,
Wenn man Vernunft gesprochen stundenlang!
– Des Menschen Taten und Gedanken, wißt!
Sind nicht wie Meeres blind bewegte Wellen.
Die innre Welt, sein Mikrokosmus, ist
Der tiefe Schacht, aus dem sie ewig quellen.
Sie sind notwendig, wie des Baumes Frucht,
Sie kann der Zufall gaukelnd nicht verwandeln.
Hab ich des Menschen Kern erst untersucht,
So weiß ich auch sein Wollen und sein Handeln.        960
           *(Gehen ab.)*


VIERTER AUFTRITT

*Zimmer in Piccolominis Wohnung.*

*Octavio Piccolomini reisefertig. Ein Adjutant.*

O c t a v i o.  Ist das Kommando da?
A d j u t a n t.                          Es wartet unten.
O c t a v i o.  Es sind doch sichre Leute, Adjutant?
Aus welchem Regimente nahmt Ihr sie?
A d j u t a n t.  Von Tiefenbach.
O c t a v i o.                     Dies Regiment ist treu.
Laßt sie im Hinterhof sich ruhighalten,
Sich niemand zeigen, bis Ihr klingeln hört;
Dann wird das Haus geschlossen, scharf bewacht,
Und jeder, den Ihr antrefft, bleibt verhaftet.
           *(Adjutant ab.)*

Zwar hoff ich, es bedarf nicht ihres Dienstes,
Denn meines Kalkuls halt ich mich gewiß.                    970
Doch es gilt Kaisers Dienst, das Spiel ist groß,
Und besser zu viel Vorsicht als zu wenig.


FÜNFTER AUFTRITT

*Octavio Piccolomini. Isolani tritt herein.*

I s o l a n i.
    Hier bin ich – Nun! wer kommt noch von den andern?
O c t a v i o *(geheimnisvoll)*.
    Vorerst ein Wort mit Euch, Graf Isolani.
I s o l a n i *(geheimnisvoll)*.
    Soll's losgehn? Will der Fürst was unternehmen?
    Mir dürft Ihr trauen. Setzt mich auf die Probe.
O c t a v i o. Das kann geschehn.
I s o l a n i.                          Herr Bruder, ich bin nicht
    Von denen, die mit Worten tapfer sind
    Und, kommt's zur Tat, das Weite schimpflich suchen.
    Der Herzog hat als Freund an mir getan,               980
    Weiß Gott, so ist's! Ich bin ihm alles schuldig.
    Auf meine Treue kann er baun.
O c t a v i o.                          Es wird sich zeigen.
I s o l a n i. Nehmt Euch in acht. Nicht alle denken so.
    Es halten's hier noch viele mit dem Hof
    Und meinen, daß die Unterschrift von neulich,
    Die abgestohlne, sie zu nichts verbinde.
O c t a v i o. So? Nennt mir doch die Herren, die das meinen.
I s o l a n i. Zum Henker! Alle Deutschen sprechen so.
    Auch Esterhazy, Kaunitz, Deodat
    Erklären jetzt, man müss' dem Hof gehorchen.            990
O c t a v i o. Das freut mich.
I s o l a n i.                          Freut Euch?
O c t a v i o.                                    Daß der Kaiser noch
    So gute Freunde hat und wackre Diener.
I s o l a n i. Spaßt nicht. Es sind nicht eben schlechte Männer.
O c t a v i o. Gewiß nicht. Gott verhüte, daß ich spaße!
    Sehr ernstlich freut es mich, die gute Sache
    So stark zu sehn.
I s o l a n i.                  Was Teufel! Wie ist das?
    Seid Ihr denn nicht? – Warum bin ich denn hier?

O c t a v i o *(mit Ansehen)*.
  Euch zu erklären, rund und nett, ob Ihr
  Ein Freund wollt heißen oder Feind des Kaisers.
I s o l a n i *(trotzig)*.
  Darüber werd ich dem Erklärung geben,                    1000
  Dem's zukommt, diese Frag' an mich zu tun.
O c t a v i o.
  Ob mir das zukommt, mag dies Blatt Euch lehren.
I s o l a n i. Wa – was? Das ist des Kaisers Hand und Siegel.
  *(Liest.)* »Als werden sämtliche Hauptleute unsrer
  Armee der Ordre unsers lieben, treuen,
  Des Generalleutnant Piccolomini,
  Wie unsrer eignen« – Hum – Ja – So – Ja, ja!
  Ich – mach Euch meinen Glückwunsch, Generalleutnant.
O c t a v i o. Ihr unterwerft Euch dem Befehl?
I s o l a n i.                              Ich – aber
  Ihr überrascht mich auch so schnell – Man wird       1010
  Mir doch Bedenkzeit, hoff ich –
O c t a v i o.                     Zwei Minuten.
I s o l a n i. Mein Gott, der Fall ist aber –
O c t a v i o.                        Klar und einfach.
  Ihr sollt erklären, ob Ihr Euren Herrn
  Verraten wollet oder treu ihm dienen.
I s o l a n i. Verrat – Mein Gott – Wer spricht denn von Verrat?
O c t a v i o. Das ist der Fall. Der Fürst ist ein Verräter,
  Will die Armee zum Feind hinüberführen.
  Erklärt Euch kurz und gut. Wollt Ihr dem Kaiser
  Abschwören? Euch dem Feind verkaufen? Wollt Ihr?
I s o l a n i. Was denkt Ihr? Ich des Kaisers Majestät    1020
  Abschwören? Sagt' ich so? Wann hätt' ich das
  Gesagt?
O c t a v i o.   Noch habt Ihr's nicht gesagt. Noch nicht.
  Ich warte drauf, ob Ihr es werdet sagen.
I s o l a n i. Nun seht, das ist mir lieb, daß Ihr mir selbst
  Bezeugt, ich habe so was nicht gesagt.
O c t a v i o. Ihr sagt Euch also von dem Fürsten los?
I s o l a n i. Spinnt er Verrat – Verrat trennt alle Bande.
O c t a v i o. Und seid entschlossen, gegen ihn zu fechten?
I s o l a n i. Er tat mir Gutes – doch wenn er ein Schelm ist,
  Verdamm' ihn Gott! die Rechnung ist zerrissen.      1030
O c t a v i o. Mich freut's, daß Ihr in gutem Euch gefügt.
  Heut nacht in aller Stille brecht Ihr auf

Mit allen leichten Truppen; es muß scheinen,
Als käm' die Ordre von dem Herzog selbst.
Zu Frauenberg ist der Versammlungsplatz,
Dort gibt Euch Gallas weitere Befehle.
I s o l a n i. Es soll geschehn. Gedenkt mir's aber auch
Beim Kaiser, wie bereit Ihr mich gefunden.
O c t a v i o. Ich werd es rühmen.
      *(Isolani geht. Es kommt ein Bedienter.)*
                   Oberst Buttler? Gut.
I s o l a n i *(zurückkommend)*.
Vergebt mir auch mein barsches Wesen, Alter.     1040
Herr Gott! Wie konnt' ich wissen, welch große
Person ich vor mir hatte!
O c t a v i o.          Laßt das gut sein.
I s o l a n i. Ich bin ein lust'ger alter Knab', und wär'
Mir auch ein rasches Wörtlein übern Hof
Entschlüpft zuweilen, in der Lust des Weins,
Ihr wißt ja, bös war's nicht gemeint. *(Geht ab.)*
O c t a v i o.          Macht Euch
Darüber keine Sorge! – Das gelang!
Glück, sei uns auch so günstig bei den andern!

### SECHSTER AUFTRITT

*Octavio Piccolomini. Buttler.*

B u t t l e r. Ich bin zu Eurer Ordre, Generalleutnant.
O c t a v i o.
Seid mir als werter Gast und Freund willkommen.     1050
B u t t l e r. Zu große Ehr' für mich.
O c t a v i o *(nachdem beide Platz genommen)*.
Ihr habt die Neigung nicht erwidert,
Womit ich gestern Euch entgegenkam.
Wohl gar als leere Formel sie verkannt.
Von Herzen ging mir jener Wunsch, es war
Mir Ernst um Euch, denn eine Zeit ist jetzt,
Wo sich die Guten eng verbinden sollten.
B u t t l e r. Die Gleichgesinnten können es allein.
O c t a v i o. Und alle Guten nenn ich gleichgesinnt.
Dem Menschen bring ich nur *die* Tat in Rechnung,     1060
Wozu ihn ruhig der Charakter treibt;
Denn blinder Mißverständnisse Gewalt

Drängt oft den Besten aus dem rechten Gleise.
Ihr kamt durch Frauenberg. Hat Euch Graf Gallas
Nichts anvertraut? Sagt mir's. Er ist mein Freund.

B u t t l e r.   Er hat verlorne Worte nur gesprochen.

O c t a v i o.   Das hör ich ungern, denn sein Rat war gut.
Und einen gleichen hätt' ich Euch zu geben.

B u t t l e r.   Spart Euch die Müh – mir die Verlegenheit,
So schlecht die gute Meinung zu verdienen.                    1070

O c t a v i o.   Die Zeit ist teuer, laßt uns offen reden.
Ihr wißt, wie hier die Sachen stehn. Der Herzog
Sinnt auf Verrat, ich kann Euch mehr noch sagen,
Er hat ihn schon vollführt; geschlossen ist
Das Bündnis mit dem Feind vor wen'gen Stunden.
Nach Prag und Eger reiten schon die Boten,
Und morgen will er zu dem Feind uns führen.
Doch er betrügt sich, denn die Klugheit wacht,
Noch treue Freunde leben hier dem Kaiser,
Und mächtig steht ihr unsichtbarer Bund.                     1080
Dies Manifest erklärt ihn in die Acht,
Spricht los das Heer von des Gehorsams Pflichten,
Und alle Gutgesinnten ruft es auf,
Sich unter meiner Führung zu versammeln.
Nun wählt, ob Ihr mit uns die gute Sache,
Mit ihm der Bösen böses Los wollt teilen?

B u t t l e r *(steht auf)*. Sein Los ist meines.

O c t a v i o.                              Ist das Euer letzter
Entschluß?

B u t t l e r.    Er ist's.

O c t a v i o.              Bedenkt Euch, Oberst Buttler.
Noch habt Ihr Zeit. In meiner treuen Brust
Begraben bleibt das raschgesprochne Wort.                    1090
Nehmt es zurück. Wählt eine bessere
Partei. Ihr habt die gute nicht ergriffen.

B u t t l e r.   Befehlt Ihr sonst noch etwas, Generalleutnant?

O c t a v i o.   Seht Eure weißen Haare! Nehmt's zurück.

B u t t l e r.   Lebt wohl!

O c t a v i o.            Was? Diesen guten, tapfern Degen
Wollt Ihr in solchem Streite ziehen? Wollt
In Fluch den Dank verwandeln, den Ihr Euch
Durch vierzigjähr'ge Treu verdient um Östreich?

B u t t l e r *(bitter lachend)*.
Dank vom Haus Östreich! *(Er will gehen.)*

O c t a v i o *(läßt ihn bis an die Türe gehen, dann ruft er).*
Buttler!
B u t t l e r.          Was beliebt?
O c t a v i o. Wie war es mit dem Grafen?
B u t t l e r.          Grafen! Was? 1100
O c t a v i o. Dem Grafentitel, mein ich.
B u t t l e r *(heftig auffahrend).*      Tod und Teufel!
O c t a v i o *(kalt).*
   Ihr suchtet darum nach. Man wies Euch ab.
B u t t l e r. Nicht ungestraft sollt Ihr mich höhnen. Zieht!
O c t a v i o. Steckt ein. Sagt ruhig, wie es damit ging. Ich will
   Genugtuung nachher Euch nicht verweigern.
B u t t l e r. Mag alle Welt doch um die Schwachheit wissen,
   Die ich mir selber nie verzeihen kann!
   — Ja! Generalleutnant, ich besitze Ehrgeiz,
   Verachtung hab ich nie ertragen können.
   Es tat mir wehe, daß Geburt und Titel       1110
   Bei der Armee mehr galten als Verdienst.
   Nicht schlechter wollt' ich sein als meinesgleichen,
   So ließ ich mich in unglücksel'ger Stunde
   Zu jenem Schritt verleiten — Es war Torheit!
   Doch nicht verdient' ich, sie so hart zu büßen!
   — Versagen konnte man's — Warum die Weigerung
   Mit dieser kränkenden Verachtung schärfen,
   Den alten Mann, den treu bewährten Diener
   Mit schwerem Hohn zermalmend niederschlagen,
   An seiner Herkunft Schmach so rauh ihn mahnen,    1120
   Weil er in schwacher Stunde sich vergaß!
   Doch einen Stachel gab Natur dem Wurm,
   Den Willkür übermütig spielend tritt —
O c t a v i o. Ihr müßt verleumdet sein. Vermutet Ihr
   Den Feind, der Euch den schlimmen Dienst geleistet?
B u t t l e r. Sei's, wer es will! Ein niederträcht'ger Bube,
   Ein Höfling muß es sein, ein Spanier,
   Der Junker irgend eines alten Hauses,
   Dem ich im Licht mag stehn, ein neid'scher Schurke,
   Den meine selbstverdiente Würde kränkt.       1130
O c t a v i o. Sagt. Billigte der Herzog jenen Schritt?
B u t t l e r. Er trieb mich dazu an, verwendete
   Sich selbst für mich, mit edler Freundeswärme.
O c t a v i o. So? Wißt Ihr das gewiß?
B u t t l e r.         Ich las den Brief.

O c t a v i o *(bedeutend)*.
  Ich auch – doch anders lautete sein Inhalt.
          *(Buttler wird betroffen.)*
  Durch Zufall bin ich im Besitz des Briefs,
  Kann Euch durch eignen Anblick überführen.
  *(Er gibt ihm den Brief.)*
B u t t l e r. Ha! was ist das?
O c t a v i o.                Ich fürchte, Oberst Buttler,
  Man hat mit Euch ein schändlich Spiel getrieben.
  Der Herzog, sagt Ihr, trieb Euch zu dem Schritt? –     1140
  In diesem Briefe spricht er mit Verachtung
  Von Euch, rät dem Minister, Euren Dünkel,
  Wie er ihn nennt, zu züchtigen.
*(Buttler hat den Brief gelesen, seine Knie zittern, er greift
          nach einem Stuhl, setzt sich nieder.)*
  Kein Feind verfolgt Euch. Niemand will Euch übel.
  Dem Herzog schreibe allein die Kränkung zu,
  Die ihr empfangen; deutlich ist die Absicht.
  Losreißen wollt' er Euch von Eurem Kaiser –
  Von Eurer Rache hofft' er zu erlangen,
  Was Eure wohlbewährte Treu ihn nimmer
  Erwarten ließ bei ruhiger Besinnung.          1150
  Zum blinden Werkzeug wollt' er Euch, zum Mittel
  Verworfner Zwecke Euch verächtlich brauchen.
  Er hat's erreicht. Zu gut nur glückt' es ihm,
  Euch wegzulocken von dem guten Pfade,
  Auf dem Ihr vierzig Jahre seid gewandelt.
B u t t l e r *(mit der Stimme bebend)*.
  Kann mir des Kaisers Majestät vergeben?
O c t a v i o.  Sie tut noch mehr. Sie macht die Kränkung gut,
  Die unverdient dem Würdigen geschehn.
  Aus freiem Trieb bestätigt sie die Schenkung,
  Die Euch der Fürst zu bösem Zweck gemacht.     1160
  Das Regiment ist Euer, das Ihr führt.
B u t t l e r *(will aufstehen, sinkt zurück. Sein Gemüt arbeitet heftig, er versucht zu reden und vermag es nicht. Endlich nimmt er den Degen vom Gehänge und reicht ihn dem Piccolomini)*.
O c t a v i o.
  Was wollt Ihr? Faßt Euch.
B u t t l e r.                Nehmt!
O c t a v i o.                        Wozu? Besinnt Euch.

B u t t l e r.
Nehmt hin! Nicht wert mehr bin ich dieses Degens.
O c t a v i o. Empfangt ihn neu zurück aus meiner Hand
Und führt ihn stets mit Ehre für das Recht.
B u t t l e r. Die Treue brach ich solchem gnäd'gen Kaiser!
O c t a v i o.
Macht's wieder gut. Schnell trennt Euch von dem Herzog.
B u t t l e r. Mich von ihm trennen!
O c t a v i o.                                    Wie? Bedenkt Ihr Euch?
B u t t l e r *(furchtbar ausbrechend).*
Nur von ihm trennen? Oh! er soll nicht leben!
O c t a v i o. Folgt mir nach Frauenberg, wo alle Treuen 1170
Bei Gallas sich und Altringer versammeln.
Viel andre bracht' ich noch zu ihrer Pflicht
Zurück, heut nacht entfliehen sie aus Pilsen.
B u t t l e r *(ist heftig bewegt auf und ab gegangen und tritt
zu Octavio mit entschlossenem Blick).*
Graf Piccolomini! Darf Euch der Mann
Von Ehre sprechen, der die Treue brach?
O c t a v i o. Der darf es, der so ernstlich es bereut.
B u t t l e r. So laßt mich hier, auf Ehrenwort.
O c t a v i o.                                    Was sinnt Ihr?
B u t t l e r. Mit meinem Regimente laßt mich bleiben.
O c t a v i o.
Ich darf Euch traun. Doch sagt mir, was Ihr brütet?
B u t t l e r.
Die Tat wird's lehren. Fragt mich jetzt nicht weiter.   1180
Traut mir! Ihr könnt's! Bei Gott! Ihr überlasset
Ihn seinem guten Engel nicht! – Lebt wohl! *(Geht ab.)*
B e d i e n t e r *(bringt ein Billet).*
Ein Unbekannter bracht's und ging gleich wieder.
Des Fürsten Pferde stehen auch schon unten. *(Ab.)*
O c t a v i o *(liest).*
»Macht, daß Ihr fortkommt. Euer treuer Isolan.«
– Oh! läge diese Stadt erst hinter mir!
So nah dem Hafen sollten wir noch scheitern?
Fort! Fort! Hier ist nicht länger Sicherheit
Für mich. Wo aber bleibt mein Sohn?

SIEBENTER AUFTRITT

*Beide Piccolomini.*

M a x *(kömmt in der heftigsten Gemütsbewegung, seine*
*Blicke rollen wild, sein Gang ist unstet; er scheint den*
*Vater nicht zu bemerken, der von ferne steht und ihn mit-*
*leidig ansieht. Mit großen Schritten geht er durch das Zim-*
*mer, bleibt wieder stehen und wirft sich zuletzt in einen*
*Stuhl, gerad vor sich hin starrend).*
O c t a v i o *(nähert sich ihm).*
    Ich reise ab, mein Sohn.
    *(Da er keine Antwort erhält, faßt er ihn bei der Hand.)*
               Mein Sohn, leb wohl!    1190

M a x. Leb wohl!
O c t a v i o.      Du folgst mir doch bald nach?
M a x *(ohne ihn anzusehen).*             Ich dir?
    Dein Weg ist krumm, er ist der meine nicht.
        *(Octavio läßt seine Hand los, fährt zurück.)*
    Oh! wärst du wahr gewesen und gerade,
    Nie kam es dahin, alles stünde anders!
    Er hätte nicht das Schreckliche getan,
    Die Guten hätten Kraft bei ihm behalten,
    Nicht in der Schlechten Garn wär' er gefallen.
    Warum so heimlich, hinterlistig lauernd
    Gleich einem Dieb und Diebeshelfer schleichen?
    Unsel'ge Falschheit! Mutter alles Bösen!    1200
    Du jammerbringende, verderbest uns!
    Wahrhaftigkeit, die reine, hätt' uns alle,
    Die welterhaltende, gerettet. Vater!
    Ich kann dich nicht entschuldigen, ich kann's nicht.
    Der Herzog hat mich hintergangen, schrecklich,
    Du aber hast viel besser nicht gehandelt.
O c t a v i o. Mein Sohn, ach! ich verzeihe deinem Schmerz.
M a x *(steht auf, betrachtet ihn mit zweifelhaften Blicken).*
    Wär's möglich, Vater? Vater? Hättest du's
    Mit Vorbedacht bis dahin treiben wollen?
    Du steigst durch seinen Fall. Octavio,    1210
    Das will mir nicht gefallen.
O c t a v i o.             Gott im Himmel!
M a x. Weh mir! Ich habe die Natur verändert,
    Wie kommt der Argwohn in die freie Seele?
    Vertrauen, Glaube, Hoffnung ist dahin,

Denn alles log mir, was ich hochgeachtet.
Nein! Nein! Nicht alles! Sie ja lebt mir noch,
Und sie ist wahr und lauter wie der Himmel.
Betrug ist überall und Heuchelschein
Und Mord und Gift und Meineid und Verrat,
Der einzig reine Ort ist unsre Liebe,                        1220
Der unentweihte in der Menschlichkeit.
O c t a v i o.
    Max! Folg mir lieber gleich, das ist doch besser.
M a x. Was? Eh' ich Abschied noch von ihr genommen?
    Den letzten – Nimmermehr!
O c t a v i o.                        Erspare dir
    Die Qual der Trennung, der notwendigen.
    Komm mit mir! Komm, mein Sohn! *(Will ihn fortziehn.)*
M a x.                        Nein! So wahr Gott lebt!
O c t a v i o *(dringender).*
    Komm mit mir, ich gebiete dir's, dein Vater.
M a x. Gebiete mir, was menschlich ist. Ich bleibe.
O c t a v i o. Max! In des Kaisers Namen, folge mir!
M a x. Kein Kaiser hat dem Herzen vorzuschreiben.         1230
    Und willst du mir das einzige noch rauben,
    Was mir mein Unglück übrigließ, ihr Mitleid?
    Muß grausam auch das Grausame geschehn?
    Das Unabänderliche soll ich noch
    Unedel tun, mit heimlich feiger Flucht,
    Wie ein Unwürdiger mich von ihr stehlen?
    Sie soll mein Leiden sehen, meinen Schmerz,
    Die Klagen hören der zerrißnen Seele
    Und Tränen um mich weinen – Oh! die Menschen
    Sind grausam, aber sie ist wie ein Engel.                 1240
    Sie wird von gräßlich wütender Verzweiflung
    Die Seele retten, diesen Schmerz des Todes
    Mit sanften Trostesworten klagend lösen.
O c t a v i o. Du reißest dich nicht los, vermagst es nicht.
    Oh! komm, mein Sohn, und rette deine Tugend!
M a x. Verschwende deine Worte nicht vergebens,
    Dem Herzen folg ich, denn ich darf ihm trauen.
O c t a v i o *(außer Fassung, zitternd).*
    Max! Max! Wenn das Entsetzliche mich trifft,
    Wenn du – mein Sohn – mein eignes Blut – ich darf's
    Nicht denken! dich dem Schändlichen verkaufst,            1250
    Dies Brandmal aufdrückst unsers Hauses Adel,

Dann soll die Welt das Schauderhafte sehn,
Und von des Vaters Blute triefen soll
Des Sohnes Stahl im gräßlichen Gefechte.

M a x.  Oh! hättest du vom Menschen besser stets
Gedacht, du hättest besser auch gehandelt.
Fluchwürd'ger Argwohn! Unglücksel'ger Zweifel!
Es ist ihm Festes nichts und Unverrücktes,
Und alles wanket, wo der Glaube fehlt.

O c t a v i o.
Und trau ich deinem Herzen auch, wird's immer        1260
In deiner Macht auch stehen, ihm zu folgen?

M a x.  Du hast des Herzens Stimme nicht bezwungen,
So wenig wird der Herzog es vermögen.

O c t a v i o.  Oh! Max, ich seh dich niemals wiederkehren!

M a x.  Unwürdig deiner wirst du nie mich sehn.

O c t a v i o.  Ich geh nach Frauenberg, die Pappenheimer
Laß ich dir hier, auch Lothringen, Toscana
Und Tiefenbach bleibt da, dich zu bedecken.
Sie lieben dich und sind dem Eide treu
Und werden lieber tapfer streitend fallen,        1270
Als von dem Führer weichen und der Ehre.

M a x.  Verlaß dich drauf, ich lasse fechtend hier
Das Leben oder führe sie aus Pilsen.

O c t a v i o  *(aufbrechend).*
Mein Sohn, leb wohl!

M a x.                    Leb wohl!

O c t a v i o.                          Wie? Keinen Blick
Der Liebe? Keinen Händedruck zum Abschied?
Es ist ein blut'ger Krieg, in den wir gehn,
Und ungewiß, verhüllt ist der Erfolg.
So pflegten wir uns vormals nicht zu trennen.
Ist es denn wahr? Ich habe keinen Sohn mehr?

*(Max fällt in seine Arme, sie halten einander lange schwei-
gend umfaßt, dann entfernen sie sich nach verschiedenen
Seiten.)*

## DRITTER AUFZUG

*Saal bei der Herzogin von Friedland.*

### ERSTER AUFTRITT

*Gräfin Terzky. Thekla. Fräulein von Neubrunn. Beide letztern mit weiblichen Arbeiten beschäftigt.*

G r ä f i n.
    Ihr habt mich nichts zu fragen, Thekla? Gar nichts?   1280
    Schon lange wart ich auf ein Wort von Euch.
    Könnt Ihr's ertragen, in so langer Zeit
    Nicht einmal seinen Namen auszusprechen?
    Wie? Oder wär' ich jetzt schon überflüssig,
    Und gäb' es andre Wege als durch mich?
    Gesteht mir, Nichte. Habt Ihr ihn gesehn?
T h e k l a. Ich hab ihn heut und gestern nicht gesehn.
G r ä f i n. Auch nicht von ihm gehört? Verbergt mir nichts.
T h e k l a. Kein Wort.
G r ä f i n.            Und könnt so ruhig sein!
T h e k l a.                      Ich bin's.
G r ä f i n. Verlaßt uns, Neubrunn.
        *(Fräulein von Neubrunn entfernt sich.)*

### ZWEITER AUFTRITT

*Gräfin. Thekla.*

G r ä f i n.             Es gefällt mir nicht,   1290
    Daß er sich grade jetzt so still verhält.
T h e k l a. Gerade jetzt!
G r ä f i n.           Nachdem er alles weiß!
    Denn jetzo war's die Zeit, sich zu erklären.
T h e k l a. Sprecht deutlicher, wenn ich's verstehen soll.
G r ä f i n. In dieser Absicht schickt' ich sie hinweg.
    Ihr seid kein Kind mehr, Thekla. Euer Herz
    Ist mündig, denn Ihr liebt, und kühner Mut
    Ist bei der Liebe. Den habt Ihr bewiesen.
    Ihr artet mehr nach Eures Vaters Geist
    Als nach der Mutter ihrem. Darum könnt Ihr hören,   1300
    Was *sie* nicht fähig ist zu tragen.

**T h e k l a.** Ich bitt Euch, endet diese Vorbereitung.
Sei's, was es sei. Heraus damit! Es kann
Mich mehr nicht ängstigen als dieser Eingang.
Was habt Ihr mir zu sagen? Faßt es kurz.
**G r ä f i n.** Ihr müßt nur nicht erschrecken –
**T h e k l a.**                    Nennt's! Ich bitt Euch.
**G r ä f i n.**
Es steht bei Euch, dem Vater einen großen Dienst
Zu leisten –
**T h e k l a.**      Bei *mir* stünde das! Was kann –
**G r ä f i n.** Max Piccolomini liebt Euch. Ihr könnt
Ihn unauflöslich an den Vater binden.                    1310
**T h e k l a.** Braucht's dazu meiner? Ist er es nicht schon?
**G r ä f i n.** Er war's.
**T h e k l a.**              Und warum sollt' er's nicht mehr sein,
Nicht immer bleiben?
**G r ä f i n.**              Auch am Kaiser hängt er.
**T h e k l a.**
Nicht mehr, als Pflicht und Ehre von ihm fordern.
**G r ä f i n.** Von seiner Liebe fordert man Beweise,
Und nicht von seiner Ehre – Pflicht und Ehre!
Das sind vieldeutig doppelsinn'ge Namen,
Ihr sollt sie ihm auslegen, seine Liebe
Soll seine Ehre ihm erklären.
**T h e k l a.**                    Wie?
**G r ä f i n.** Er soll dem Kaiser oder Euch entsagen.          1320
**T h e k l a.** Er wird den Vater gern in den Privatstand
Begleiten. Ihr vernahmt es von ihm selbst,
Wie sehr er wünscht, die Waffen wegzulegen.
**G r ä f i n.** Er soll sie nicht weglegen, ist die Meinung,
Er soll sie für den Vater ziehn.
**T h e k l a.**                    Sein Blut,
Sein Leben wird er für den Vater freudig
Verwenden, wenn ihm Unglimpf widerführe.
**G r ä f i n.** Ihr wollt mich nicht erraten – Nun so hört.
Der Vater ist vom Kaiser abgefallen,
Steht im Begriff, sich zu dem Feind zu schlagen          1330
Mitsamt dem ganzen Heer –
**T h e k l a.**              O meine Mutter!
**G r ä f i n.** Es braucht ein großes Beispiel, die Armee
Ihm nachzuziehn. Die Piccolomini
Stehn bei dem Heer in Ansehn, sie beherrschen

Die Meinung, und entscheidend ist ihr Vorgang.
Des Vaters sind wir sicher durch den Sohn –
– Ihr habt jetzt viel in Eurer Hand.

T h e k l a.
O jammervolle Mutter! Welcher Streich des Todes
Erwartet dich! – Sie wird's nicht überleben.

G r ä f i n.  Sie wird in das Notwendige sich fügen.      1340
Ich kenne sie – Das Ferne, Künftige beängstigt
Ihr fürchtend Herz; was unabänderlich
Und wirklich da ist, trägt sie mit Ergebung.

T h e k l a.  O meine ahnungsvolle Seele – Jetzt –
Jetzt ist sie da, die kalte Schreckenshand,
Die in mein fröhlich Hoffen schaudernd greift.
Ich wußt' es wohl – O gleich, als ich hier eintrat,
Weissagte mir's das bange Vorgefühl,
Daß über mir die Unglückssterne stünden –
Doch warum denk ich jetzt zuerst an mich –       1350
O meine Mutter! meine Mutter!

G r ä f i n.                    Faßt Euch.
Brecht nicht in eitle Klagen aus. Erhaltet
Dem Vater einen Freund, Euch den Geliebten,
So kann noch alles gut und glücklich werden.

T h e k l a.
Gut werden! Was? Wir sind getrennt auf immer! –
Ach, davon ist nun gar nicht mehr die Rede.

G r ä f i n.
Er läßt Euch nicht! Er kann nicht von Euch lassen.

T h e k l a.  O der Unglückliche!

G r ä f i n.
Wenn er Euch wirklich liebt, wird sein Entschluß
Geschwind gefaßt sein.

T h e k l a.            Sein Entschluß wird bald       1360
Gefaßt sein, daran zweifelt nicht. Entschluß!
Ist hier noch ein Entschluß?

G r ä f i n.            Faßt euch. Ich höre
Die Mutter nahn.

T h e k l a.        Wie werd ich ihren Anblick
Ertragen!

G r ä f i n.  Faßt Euch.

DRITTER AUFTRITT

*Die Herzogin. Vorige.*

**H e r z o g i n** *(zur Gräfin).*    Schwester! Wer war hier?
   Ich hörte lebhaft reden.
**G r ä f i n.**            Es war niemand.
**H e r z o g i n.**
   Ich bin so schreckhaft. Jedes Rauschen kündigt mir
   Den Fußtritt eines Unglücksboten an.
   Könnt Ihr mir sagen, Schwester, wie es steht?
   Wird er dem Kaiser seinen Willen tun,
   Dem Kardinal die Reiter senden? Sprecht,         1370
   Hat er den Questenberg mit einer guten
   Antwort entlassen?
**G r ä f i n.**        – Nein, das hat er nicht.
**H e r z o g i n.** O dann ist's aus! Ich seh das Ärgste kommen.
   Sie werden ihn absetzen, es wird alles wieder
   So werden wie zu Regenspurg.
**G r ä f i n.**           So wird's
   Nicht werden. Diesmal nicht. Dafür seid ruhig.
*(Thekla, heftig bewegt, stürzt auf die Mutter zu und schließt*
           *sie weinend in die Arme.)*
**H e r z o g i n.** O der unbeugsam unbezähmte Mann!
   Was hab ich nicht getragen und gelitten
   In dieser Ehe unglücksvollem Bund!
   Denn gleich wie an ein feurig Rad gefesselt,      1380
   Das rastlos eilend, ewig, heftig treibt,
   Bracht' ich ein angstvoll Leben mit ihm zu,
   Und stets an eines Abgrunds jähem Rande
   Sturzdrohend, schwindelnd riß er mich dahin.
   – Nein, weine nicht, mein Kind. Laß dir mein Leiden
   Zu keiner bösen Vorbedeutung werden,
   Den Stand, der dich erwartet, nicht verleiden.
   Es lebt kein zweiter Friedland; du, mein Kind,
   Hast deiner Mutter Schicksal nicht zu fürchten.
**T h e k l a.** O lassen Sie uns fliehen, liebe Mutter!     1390
   Schnell! Schnell! Hier ist kein Aufenthalt für uns.
   Jedwede nächste Stunde brütet irgend
   Ein neues, ungeheures Schreckbild aus!
**H e r z o g i n.** Dir wird ein ruhigeres Los! – Auch wir,
   Ich und dein Vater, sahen schöne Tage;
   Der ersten Jahre denk ich noch mit Lust.

Da war er noch der fröhlich Strebende,
Sein Ehrgeiz war ein mild erwärmend Feuer,
Noch nicht die Flamme, die verzehrend rast.
Der Kaiser liebte ihn, vertraute ihm,      1400
Und was er anfing, das mußt' ihm geraten.
Doch seit dem Unglückstag zu Regenspurg,
Der ihn von seiner Höh' herunterstürzte,
Ist ein unsteter, ungesell'ger Geist
Argwöhnisch, finster über ihn gekommen.
Ihn floh die Ruhe, und dem alten Glück,
Der eignen Kraft nicht fröhlich mehr vertrauend,
Wandt' er sein Herz den dunkeln Künsten zu,
Die keinen, der sie pflegte, noch beglückt.

Gräfin. Ihr seht's mit Euren Augen – Aber ist   1410
*Das* ein Gespräch, womit wir ihn erwarten?
Er wird bald hier sein, wißt Ihr. Soll er *sie*
In diesem Zustand finden?

Herzogin.           Komm, mein Kind.
Wisch deine Tränen ab. Zeig deinem Vater
Ein heitres Antlitz – Sieh, die Schleife hier
Ist los – Dies Haar muß aufgebunden werden.
Komm, trockne deine Tränen. Sie entstellen
Dein holdes Auge – Was ich sagen wollte?
Ja, dieser Piccolomini ist doch
Ein würd'ger Edelmann und voll Verdienst.   1420

Gräfin. Das ist er, Schwester.

Thekla *(zur Gräfin, beängstigt).*   Tante, wollt Ihr mich
Entschuldigen? *(Will gehen.)*

Gräfin.      Wohin? Der Vater kommt.

Thekla. Ich kann ihn jetzt nicht sehn.

Gräfin.              Er wird Euch aber
Vermissen, nach Euch fragen.

Herzogin.       Warum geht sie?

Thekla. Es ist mir unerträglich, ihn zu sehn.

Gräfin *(zur Herzogin).*
Ihr ist nicht wohl.

Herzogin *(besorgt).*  Was fehlt dem lieben Kinde?
*(Beide folgen dem Fräulein und sind beschäftigt, sie zurück-
zuhalten. Wallenstein erscheint, im Gespräch mit Illo.)*

### VIERTER AUFTRITT

*Wallenstein. Illo. Vorige.*

Wallenstein. Es ist noch still im Lager?
Illo.                       Alles still.
Wallenstein.
    In wenig Stunden kann die Nachricht da sein
    Aus Prag, daß diese Hauptstadt unser ist.
    Dann können wir die Maske von uns werfen,          1430
    Den hiesigen Truppen den getanen Schritt
    Zugleich mit dem Erfolg zu wissen tun.
    In solchen Fällen tut das Beispiel alles.
    Der Mensch ist ein nachahmendes Geschöpf,
    Und wer der Vorderste ist, führt die Herde.
    Die Prager Truppen wissen es nicht anders,
    Als daß die Pilsner Völker uns gehuldigt,
    Und hier in Pilsen sollen sie uns schwören,
    Weil man zu Prag das Beispiel hat gegeben.
    – Der Buttler, sagst du, hat sich nun erklärt?        1440
Illo. Aus freiem Trieb, unaufgefordert kam er,
    Sich selbst, sein Regiment dir anzubieten.
Wallenstein.
    Nicht jeder Stimme, find ich, ist zu glauben,
    Die warnend sich im Herzen läßt vernehmen.
    Uns zu berücken, borgt der Lügengeist
    Nachahmend oft die Stimme von der Wahrheit
    Und streut betrügliche Orakel aus.
    So hab ich diesem würdig braven Mann,
    Dem Buttler, stilles Unrecht abzubitten;
    Denn ein Gefühl, des ich nicht Meister bin,         1450
    Furcht möcht' ich's nicht gern nennen, überschleicht
    In seiner Nähe schaudernd mir die Sinne
    Und hemmt der Liebe freudige Bewegung.
    Und dieser Redliche, vor dem der Geist
    Mich warnt, reicht mir das erste Pfand des Glücks.
Illo. Und sein geachtet Beispiel, zweifle nicht,
    Wird dir die Besten in dem Heer gewinnen.
Wallenstein. Jetzt geh und schick mir gleich den Isolan
    Hieher, ich hab ihn mir noch jüngst verpflichtet.
    Mit ihm will ich den Anfang machen. Geh!        1460
*(Illo geht hinaus, unterdessen sind die übrigen wieder vor-*
*wärts gekommen.)*

Wallenstein. Sieh da, die Mutter mit der lieben Tochter!
   Wir wollen einmal von Geschäften ruhn –
   Kommt! Mich verlangte, eine heitre Stunde
   Im lieben Kreis der Meinen zu verleben.
Gräfin. Wir waren lang nicht so beisammen, Bruder.
Wallenstein *(beiseite, zur Gräfin).*
   Kann sie's vernehmen? Ist sie vorbereitet?
Gräfin.
   Noch nicht.
Wallenstein.
                Komm her, mein Mädchen. Setz dich zu mir.
   Es ist ein guter Geist auf deinen Lippen,
   Die Mutter hat mir deine Fertigkeit
   Gepriesen, es soll eine zarte Stimme                    1470
   Des Wohllauts in dir wohnen, die die Seele
   Bezaubert. Eine solche Stimme brauch
   Ich jetzt, den bösen Dämon zu vertreiben,
   Der um mein Haupt die schwarzen Flügel schlägt.
Herzogin. Wo hast du deine Zither, Thekla? Komm.
   Laß deinem Vater eine Probe hören
   Von deiner Kunst.
Thekla.            O meine Mutter! Gott!
Herzogin. Komm, Thekla, und erfreue deinen Vater.
Thekla. Ich kann nicht, Mutter –
Gräfin.                      Wie? Was ist das, Nichte!
Thekla *(zur Gräfin).*
   Verschont mich – Singen – jetzt – in dieser Angst    1480
   Der schwer beladnen Seele – vor ihm singen –
   Der meine Mutter stürzt ins Grab!
Herzogin. Wie, Thekla, Launen? Soll dein güt'ger Vater
   Vergeblich einen Wunsch geäußert haben?
Gräfin. Hier ist die Zither.
Thekla.                  O mein Gott – Wie kann ich –
   *(Hält das Instrument mit zitternder Hand, ihre Seele ar-
   beitet im heftigsten Kampf, und im Augenblick, da sie
   anfangen soll, zu singen, schaudert sie zusammen, wirft
   das Instrument weg und geht schnell ab.)*
Herzogin. Mein Kind – o sie ist krank!
Wallenstein.
   Was ist dem Mädchen? Pflegt sie so zu sein?
Gräfin. Nun weil sie es denn selbst verrät, so will
   Auch ich nicht länger schweigen.

Wallenstein.                    Wie?
Gräfin.                              Sie liebt ihn.
Wallenstein. Liebt! Wen?
Gräfin.                    Den Piccolomini liebt sie. 1490
  Hast du es nicht bemerkt? Die Schwester auch nicht?
Herzogin. O war es dies, was ihr das Herz beklemmte?
  Gott segne dich, mein Kind! Du darfst
  Dich deiner Wahl nicht schämen.
Gräfin.                              Diese Reise –
  Wenn's deine Absicht nicht gewesen, schreib's
  Dir selber zu. Du hättest einen andern
  Begleiter wählen sollen!
Wallenstein. Weiß er's?
Gräfin.                    Er hofft sie zu besitzen.
Wallenstein.                              Hofft
  Sie zu besitzen – Ist der Junge toll?
Gräfin. Nun mag sie's selber hören!
Wallenstein.                    Die Friedländerin 1500
  Denkt er davonzutragen? Nun! Der Einfall
  Gefällt mir! Die Gedanken stehen ihm nicht niedrig.
Gräfin. Weil du so viele Gunst ihm stets bezeugt,
  So –
Wallenstein.  – Will er mich auch endlich noch beerben.
  Nun ja! Ich lieb ihn, halt ihn wert; was aber
  Hat das mit meiner Tochter Hand zu schaffen?
  Sind es die Töchter, sind's die einz'gen Kinder,
  Womit man seine Gunst bezeugt?
Herzogin. Sein adeliger Sinn und seine Sitten –
Wallenstein.
  Erwerben ihm mein Herz, nicht meine Tochter.    1510
Herzogin. Sein Stand und seine Ahnen –
Wallenstein.                              Ahnen! Was!
  Er ist ein Untertan, und meinen Eidam
  Will ich mir auf Europens Thronen suchen.
Herzogin. O lieber Herzog! Streben wir nicht allzuhoch
  Hinauf, daß wir zu tief nicht fallen mögen.
Wallenstein. Ließ ich mir's so viel kosten, in die Höh'
  Zu kommen, über die gemeinen Häupter
  Der Menschen weg zu ragen, um zuletzt
  Die große Lebensrolle mit gemeiner
  Verwandtschaft zu beschließen? – Hab ich darum –    1520
  (Plötzlich hält er inne, sich fassend.)

Sie ist das einzige, was von mir nachbleibt
Auf Erden; eine Krone will ich sehn
Auf ihrem Haupte, oder will nicht leben.
Was? Alles – Alles! setz ich dran, um *sie*
Recht groß zu machen – ja in *der* Minute,
Worin wir sprechen –
*(Er besinnt sich.)* Und ich sollte nun,
Wie ein weichherz'ger Vater, was sich gern hat
Und liebt, fein bürgerlich zusammengeben?
Und jetzt soll ich das tun, jetzt eben, da ich
Auf mein vollendet Werk den Kranz will setzen –        1530
Nein, sie ist mir ein langgespartes Kleinod,
Die höchste, letzte Münze meines Schatzes,
Nicht niedriger fürwahr gedenk ich sie
Als um ein Königszepter loszuschlagen –
Herzogin. O mein Gemahl! Sie bauen immer, bauen
Bis in die Wolken, bauen fort und fort
Und denken nicht dran, daß der schmale Grund
Das schwindelnd schwanke Werk nicht tragen kann.
Wallenstein *(zur Gräfin).*
Hast du ihr angekündigt, welchen Wohnsitz
Ich ihr bestimmt?
Gräfin.             Noch nicht. Entdeckt's ihr selbst.   1540
Herzogin. Wie? Gehen wir nach Kärnten nicht zurück?
Wallenstein. Nein.
Herzogin.             Oder sonst auf keines Ihrer Güter?
Wallenstein. Sie würden dort nicht sicher sein.
Herzogin.                              Nicht sicher
In Kaisers Landen, unter Kaisers Schutz?
Wallenstein.
Den hat des Friedlands Gattin nicht zu hoffen.
Herzogin. O Gott, bis dahin haben Sie's gebracht!
Wallenstein. In Holland werden Sie Schutz finden.
Herzogin.                                      Was?
Sie senden uns in lutherische Länder?
Wallenstein.
Der Herzog Franz von Lauenburg wird Ihr
Geleitsmann dahin sein.
Herzogin.             Der Lauenburger?                   1550
Der's mit dem Schweden hält, des Kaisers Feind?
Wallenstein.
Des Kaisers Feinde sind die meinen nicht mehr.

**Herzogin** *(sieht den Herzog und die Gräfin schreckens-*
*voll an)*. Ist's also wahr? Es ist? Sie sind gestürzt?
Sind vom Kommando abgesetzt? O Gott
Im Himmel!
**Gräfin** *(seitwärts zum Herzog)*.
          Lassen wir sie bei dem Glauben.
Du siehst, daß sie die Wahrheit nicht ertrüge.


### FÜNFTER AUFTRITT

#### Graf Terzky. Vorige.

**Gräfin.**
  Terzky! Was ist ihm? Welches Bild des Schreckens!
Als hätt' er ein Gespenst gesehn!
**Terzky** *(Wallenstein bei Seite führend, heimlich)*.
  Ist's dein Befehl, daß die Kroaten reiten?
**Wallenstein.** Ich weiß von nichts.
**Terzky.**                  Wir sind verraten!
**Wallenstein.**                        Was?
**Terzky.** Sie sind davon, heut nacht, die Jäger auch,   1561
Leer stehen alle Dörfer in der Runde.
**Wallenstein.** Und Isolan?
**Terzky.**             Den hast du ja verschickt.
**Wallenstein.**
  Ich?
**Terzky.**   Nicht? Du hast ihn nicht verschickt? Auch nicht
Den Deodat? Sie sind verschwunden beide.


### SECHSTER AUFTRITT

#### Illo. Vorige.

**Illo.** Hat dir der Terzky –
**Terzky.**              Er weiß alles.
**Illo.** Auch daß Maradas, Esterhazy, Götz,
Colalto, Kaunitz dich verlassen? –
**Terzky.**                   Teufel!
**Wallenstein** *(winkt)*.
  Still!
**Gräfin** *(hat sie von weitem ängstlich beobachtet, tritt*
*hinzu)*. Terzky! Gott! Was gibt's? Was ist geschehen?

W a l l e n s t e i n *(im Begriff aufzubrechen).*
   Nichts! Laßt uns gehen.
T e r z k y *(will ihm folgen).*  Es ist nichts, Therese.          1570
G r ä f i n *(hält ihn).*
   Nichts? Seh ich nicht, daß alles Lebensblut
   Aus euren geisterbleichen Wangen wich,
   Daß selbst der Bruder Fassung nur erkünstelt?
P a g e *(kommt).* Ein Adjutant fragt nach dem Grafen Terzky.
          *(Ab. Terzky folgt dem Pagen.)*
W a l l e n s t e i n. Hör, was er bringt –
   *(Zu Illo.)*                Das konnte nicht so heimlich
   Geschehen ohne Meuterei – Wer hat
   Die Wache an den Toren?
I l l o.                   Tiefenbach.
W a l l e n s t e i n. Laß Tiefenbach ablösen unverzüglich
   Und Terzkys Grenadiere aufziehn. – Höre!
   Hast du von Buttlern Kundschaft?
I l l o.                             Buttlern traf ich.          1580
   Gleich ist er selber hier. Der hält dir fest.
        *(Illo geht. Wallenstein will ihm folgen.)*
G r ä f i n. Laß ihn nicht von dir, Schwester! Halt ihn auf –
   Es ist ein Unglück –
H e r z o g i n.          Großer Gott! Was ist's?
   *(Hängt sich an ihn.)*
W a l l e n s t e i n *(erwehrt sich ihrer).*
   Seid ruhig! Laßt mich! Schwester! liebes Weib,
   Wir sind im Lager! Da ist's nun nicht anders,
   Da wechseln Sturm und Sonnenschein geschwind,
   Schwer lenken sich die heftigen Gemüter,
   Und Ruhe nie beglückt des Führers Haupt –
   Wenn ich soll bleiben, geht! Denn übel stimmt
   Der Weiber Klage zu dem Tun der Männer.          1590
      *(Er will gehen. Terzky kömmt zurück.)*
T e r z k y. Bleib hier. Von diesem Fenster muß man's sehn.
W a l l e n s t e i n *(zur Gräfin).*
   Geht, Schwester.
G r ä f i n.          Nimmermehr!
W a l l e n s t e i n.                   Ich will's.
T e r z k y *(führt sie beiseite, mit einem bedeutenden Wink*
  *auf die Herzogin).*                   Therese!
H e r z o g i n. Komm, Schwester, weil er es befiehlt.
          *(Gehen ab.)*

SIEBENTER AUFTRITT

*Wallenstein. Graf Terzky.*

W a l l e n s t e i n *(ans Fenster tretend).*    Was gibt's denn?
T e r z k y. Es ist ein Rennen und Zusammenlaufen
　Bei allen Truppen. Niemand weiß die Ursach,
　Geheimnisvoll, mit einer finstern Stille,
　Stellt jedes Korps sich unter seine Fahnen,
　Die Tiefenbacher machen böse Mienen,
　Nur die Wallonen stehen abgesondert
　In ihrem Lager, lassen niemand zu                      1600
　Und halten sich gesetzt, so wie sie pflegen.
W a l l e n s t e i n. Zeigt Piccolomini sich unter ihnen?
T e r z k y. Man sucht ihn, er ist nirgends anzutreffen.
W a l l e n s t e i n. Was überbrachte denn der Adjutant?
T e r z k y. Ihn schickten meine Regimenter ab,
　Sie schwören nochmals Treue dir, erwarten
　Voll Kriegeslust den Aufruf zum Gefechte.
W a l l e n s t e i n. Wie aber kam der Lärmen in das Lager?
　Es sollte ja dem Heer verschwiegen bleiben,
　Bis sich zu Prag das Glück für uns entschieden.     1610
T e r z k y. O daß du mir geglaubt! Noch gestern Abends
　Beschwuren wir dich, den Octavio,
　Den Schleicher, aus den Toren nicht zu lassen,
　Du gabst die Pferde selber ihm zur Flucht –
W a l l e n s t e i n. Das alte Lied! Einmal für allemal,
　Nichts mehr von diesem törichten Verdacht!
T e r z k y. Dem Isolani hast du auch getraut,
　Und war der erste doch, der dich verließ.
W a l l e n s t e i n. Ich zog ihn gestern erst aus seinem Elend.
　Fahr hin! Ich hab auf Dank ja nie gerechnet.         1620
T e r z k y. Und so sind alle, einer wie der andre.
W a l l e n s t e i n. Und tut er Unrecht, daß er von mir geht?
　Er folgt dem Gott, dem er sein Lebenlang
　Am Spieltisch hat gedient. Mit meinem Glücke
　Schloß er den Bund und bricht ihn, nicht mit mir.
　War *ich* ihm was, er *mir*? Das Schiff nur bin ich,
　Auf das er seine Hoffnung hat geladen,
　Mit dem er wohlgemut das freie Meer
　Durchsegelte; er sieht es über Klippen
　Gefährlich gehn und rettet schnell die Ware.          1630
　Leicht wie der Vogel von dem wirtbarn Zweige,

Wo er genistet, fliegt er von mir auf,
Kein menschlich Band ist unter uns zerrissen.
Ja, der verdient, betrogen sich zu sehn,
Der Herz gesucht bei dem Gedankenlosen!
Mit schnell verlöschten Zügen schreiben sich
Des Lebens Bilder auf die glatte Stirne,
Nichts fällt in eines Busens stillen Grund,
Ein muntrer Sinn bewegt die leichten Säfte,
Doch keine Seele wärmt das Eingeweide.                1640
T e r z k y. Doch möcht' ich mich den glatten Stirnen lieber
Als jenen tiefgefurchten anvertrauen.


ACHTER AUFTRITT

*Wallenstein. Terzky. Illo kömmt wütend.*

I l l o. Verrat und Meuterei!
T e r z k y.                    Ha! was nun wieder?
I l l o. Die Tiefenbacher, als ich die Ordre gab,
Sie abzulösen – Pflichtvergeßne Schelmen!
T e r z k y. Nun?
W a l l e n s t e i n.   Was denn?
I l l o.                    Sie verweigern den Gehorsam.
T e r z k y. So laß sie niederschießen! O gib Ordre!
W a l l e n s t e i n. Gelassen! Welche Ursach geben sie?
I l l o. Kein andrer sonst hab ihnen zu befehlen
Als Generalleutnant Piccolomini.                    1650
W a l l e n s t e i n. Was – Wie ist das?
I l l o.                    So hab er's hinterlassen
Und eigenhändig vorgezeigt vom Kaiser.
T e r z k y. Vom Kaiser – Hörst du's, Fürst!
I l l o.                    Auf seinen Antrieb
Sind gestern auch die Obersten entwichen.
T e r z k y. Hörst du's!
I l l o.                    Auch Montecuculi, Caraffa
Und noch sechs andre Generale werden
Vermißt, die er bered't hat, ihm zu folgen.
Das hab er alles schon seit lange schriftlich
Bei sich gehabt vom Kaiser und noch jüngst
Erst abgeredet mit dem Questenberger.                1660
*(Wallenstein sinkt auf einen Stuhl und verhüllt sich das Gesicht.)*
T e r z k y. O hättest du mir doch geglaubt!

NEUNTER AUFTRITT

*Gräfin. Vorige.*

**Gräfin.**
  Ich kann die Angst – ich kann's nicht länger tragen,
  Um Gotteswillen, sagt mir, was es ist.
**Illo.** Die Regimenter fallen von uns ab.
  Graf Piccolomini ist ein Verräter.
**Gräfin.** O meine Ahnung! *(Stürzt aus dem Zimmer.)*
**Terzky.**                    Hätt' man *mir* geglaubt!
  Da siehst du's, wie die Sterne dir gelogen!
**Wallenstein** *(richtet sich auf)*.
  Die Sterne lügen nicht, *das* aber ist
  Geschehen wider Sternenlauf und Schicksal.
  Die Kunst ist redlich, doch dies falsche Herz          1670
  Bringt Lug und Trug in den wahrhaft'gen Himmel.
  Nur auf der Wahrheit ruht die Wahrsagung;
  Wo die Natur aus ihren Grenzen wanket,
  Da irret alle Wissenschaft. War es
  Ein Aberglaube, menschliche Gestalt
  Durch keinen solchen Argwohn zu entehren,
  O nimmer schäm ich dieser Schwachheit mich!
  Religion ist in der Tiere Trieb,
  Es trinkt der Wilde selbst nicht mit dem Opfer,
  Dem er das Schwert will in den Busen stoßen.          1680
  Das war kein Heldenstück, Octavio!
  Nicht deine Klugheit siegte über meine,
  Dein schlechtes Herz hat über mein gerades
  Den schändlichen Triumph davongetragen.
  Kein Schild fing deinen Mordstreich auf, du führtest
  Ihn ruchlos auf die unbeschützte Brust,
  Ein Kind nur bin ich gegen solche Waffen.


ZEHNTER AUFTRITT

*Vorige. Buttler.*

**Terzky.** O sieh da! Buttler! Das ist noch ein Freund!
**Wallenstein** *(geht ihm mit ausgebreiteten Armen entgegen und umfaßt ihn mit Herzlichkeit)*.
  Komm an mein Herz, du alter Kriegsgefährt'!
  So wohl tut nicht der Sonne Blick im Lenz          1690

Als Freundes Angesicht in solcher Stunde.
B u t t l e r.  Mein General – Ich komme –
W a l l e n s t e i n *(sich auf seine Schultern lehnend).*

                         Weißt du's schon?

Der Alte hat dem Kaiser mich verraten.
Was sagst du? Dreißig Jahre haben wir
Zusammen ausgelebt und ausgehalten.
In *einem* Feldbett haben wir geschlafen,
Aus *einem* Glas getrunken, *einen* Bissen
Geteilt, ich stützte mich auf ihn, wie ich
Auf *deine* treue Schulter jetzt mich stütze;
Und in dem Augenblick, da liebevoll                    1700
Vertrauend meine Brust an seiner schlägt,
Ersieht er sich den Vorteil, sticht das Messer
Mir listig lauernd, langsam in das Herz!
*(Er verbirgt das Gesicht an Buttlers Brust.)*
B u t t l e r.  Vergeßt den Falschen. Sagt, was wollt Ihr tun?
W a l l e n s t e i n.  Wohl, wohl gesprochen. Fahre hin! Ich bin
Noch immer reich an Freunden, bin ich nicht?
Das Schicksal liebt mich noch, denn eben jetzt,
Da es des Heuchlers Tücke mir entlarvt,
Hat es ein treues Herz mir zugesendet.
Nichts mehr von ihm. Denkt nicht, daß sein Verlust   1710
Mich schmerze, oh! mich schmerzt nur der Betrug.
Denn wert und teuer waren mir die beiden,
Und jener Max, er liebte mich wahrhaftig,
Er hat mich nicht getäuscht, er nicht – Genug,
Genug davon! Jetzt gilt es schnellen Rat –
Der Reitende, den mir Graf Kinsky schickt
Aus Prag, kann jeden Augenblick erscheinen.
Was er auch bringen mag, er darf den Meutern
Nicht in die Hände fallen. Drum geschwind,
Schickt einen sichern Boten ihm entgegen,              1720
Der auf geheimem Weg ihn zu mir führe.
*(Illo will gehen.)*
B u t t l e r *(hält ihn zurück).*
Mein Feldherr, wen erwartet Ihr?
W a l l e n s t e i n.
Den Eilenden, der mir die Nachricht bringt,
Wie es mit Prag gelungen.
B u t t l e r.                    Hum!
W a l l e n s t e i n.                           Was ist Euch?

B u t t l e r.  So wißt Ihr's nicht?
W a l l e n s t e i n.                    Was denn?
B u t t l e r.                                      Wie dieser Lärmer
    Ins Lager kam? –
W a l l e n s t e i n.  Wie?
B u t t l e r.                    Jener Bote –
W a l l e n s t e i n *(erwartungsvoll)*.    Nun?
B u t t l e r.  Er ist herein.
T e r z k y  und  I l l o.    Er ist herein?
W a l l e n s t e i n.                    Mein Bote?
B u t t l e r.  Seit mehrern Stunden.
W a l l e n s t e i n.                Und ich weiß es nicht?
B u t t l e r.  Die Wache fing ihn auf.
I l l o *(stampft mit dem Fuß)*.        Verdammt!
B u t t l e r.                                      Sein Brief
    Ist aufgebrochen, läuft durchs ganze Lager –          1730
W a l l e n s t e i n *(gespannt)*. Ihr wißt, was er enthält?
B u t t l e r *(bedenklich)*.                Befragt mich nicht!
T e r z k y.  Oh – Weh uns, Illo! Alles stürzt zusammen!
W a l l e n s t e i n.
    Verhehlt mir nichts. Ich kann das Schlimmste hören.
    Prag ist *verloren*? Ist's? Gesteht mir's frei.
B u t t l e r.  Es *ist* verloren. Alle Regimenter
    Zu Budweis, Tabor, Braunau, Königingrätz,
    Zu Brünn und Znaym haben Euch verlassen,
    Dem Kaiser neu gehuldigt – Ihr selbst
    Mit Kinsky, Terzky, Illo seid geächtet.
*(Terzky und Illo zeigen Schrecken und Wut. Wallenstein*
            *bleibt fest und gefaßt stehen.)*
W a l l e n s t e i n *(nach einer Pause)*.
    Es ist entschieden, nun ist's gut – und schnell          1740
    Bin ich geheilt von allen Zweifelsqualen,
    Die Brust ist wieder frei, der Geist ist hell:
    Nacht muß es sein, wo Friedlands Sterne strahlen.
    Mit zögerndem Entschluß, mit wankendem Gemüt
    Zog ich das Schwert, ich tat's mit Widerstreben,
    Da es in meine Wahl noch war gegeben!
    Notwendigkeit ist da, der Zweifel flieht,
    Jetzt fecht ich für mein Haupt und für mein Leben.
            *(Er geht ab. Die andern folgen.)*

ELFTER AUFTRITT

Gräfin Terzky *(kommt aus dem Seitenzimmer).*
　Nein! ich kann's länger nicht – Wo sind sie? Alles
　Ist leer. Sie lassen mich allein – allein　　　　　　1750
　In dieser fürchterlichen Angst – Ich muß
　Mich zwingen vor der Schwester, ruhig scheinen
　Und alle Qualen der bedrängten Brust
　In mir verschließen – Das ertrag ich nicht!
　– Wenn es uns fehlschlägt, wenn er zu dem Schweden
　Mit leerer Hand, als Flüchtling, müßte kommen,
　Nicht als geehrter Bundsgenosse, stattlich,
　Gefolgt von eines Heeres Macht – Wenn wir
　Von Land zu Lande wie der Pfalzgraf müßten wandern,
　Ein schmählich Denkmal der gefallnen Größe –　　1760
　Nein, diesen Tag will ich nicht schaun! und könnt'
　Er selbst es auch ertragen, so zu sinken,
　*Ich* trüg's nicht, so gesunken ihn zu sehn.

ZWÖLFTER AUFTRITT

*Gräfin. Herzogin. Thekla.*

Thekla *(will die Herzogin zurückhalten).*
　O liebe Mutter, bleiben Sie zurück!
Herzogin. Nein, hier ist noch ein schreckliches Geheimnis,
　Das mir verhehlt wird – Warum meidet mich
　Die Schwester? Warum seh ich sie voll Angst
　Umhergetrieben, warum dich voll Schrecken?
　Und was bedeuten diese stummen Winke,
　Die du verstohlen heimlich mit ihr wechselst?　　1770
Thekla. Nichts, liebe Mutter!
Herzogin. 　　　　　　　　Schwester, ich will's wissen.
Gräfin. Was hilft's auch, ein Geheimnis draus zu machen!
　*Läßt* sich's verbergen? Früher, später muß
　Sie's doch vernehmen lernen und ertragen!
　Nicht Zeit ist's jetzt, der Schwäche nachzugeben,
　Mut ist uns not und ein gefaßter Geist,
　Und in der Stärke müssen wir uns üben.
　Drum besser, es entscheidet sich ihr Schicksal
　Mit einem Wort – Man hintergeht Euch, Schwester.
　Ihr glaubt, der Herzog sei entsetzt – der Herzog　1780
　Ist nicht entsetzt – er ist –

T h e k l a *(zur Gräfin gehend).*   Wollt Ihr sie töten?
G r ä f i n.  Der Herzog ist –
T h e k l a *(die Arme um die Mutter schlagend).*
                          O standhaft, meine Mutter!
G r ä f i n.  Empört hat sich der Herzog, zu dem Feind
    Hat er sich schlagen wollen, die Armee
    Hat ihn verlassen, und es ist mißlungen.
*(Während dieser Worte wankt die Herzogin und fällt ohn-*
    *mächtig in die Arme ihrer Tochter.)*


*Ein großer Saal beim Herzog von Friedland.*


DREIZEHNTER AUFTRITT

W a l l e n s t e i n  *(im Harnisch).*
    Du hast's erreicht, Octavio – Fast bin ich
    Jetzt so verlassen wieder, als ich einst
    Vom Regenspurger Fürstentage ging.
    Da hatt' ich nichts mehr als mich selbst – doch was
    *Ein Mann* kann wert sein, habt ihr schon erfahren.       1790
    Den Schmuck der Zweige habt ihr abgehauen,
    Da steh ich, ein entlaubter Stamm! Doch innen
    Im Marke lebt die schaffende Gewalt,
    Die sprossend eine Welt aus sich geboren.
    Schon einmal galt ich euch statt eines Heers,
    Ich einzelner. Dahingeschmolzen vor
    Der schwed'schen Stärke waren eure Heere,
    Am Lech sank Tilly, euer letzter Hort;
    Ins Bayerland, wie ein geschwollner Strom,
    Ergoß sich dieser Gustav, und zu Wien          1800
    In seiner Hofburg zitterte der Kaiser.
    Soldaten waren teuer, denn die Menge
    Geht nach dem Glück – Da wandte man die Augen
    Auf mich, den Helfer in der Not, es beugte sich
    Der Stolz des Kaisers vor dem Schwergekränkten:
    Ich sollte aufstehn mit dem Schöpfungswort
    Und in die hohlen Läger Menschen sammeln.
    Ich tat's. Die Trommel ward gerührt. Mein Name
    Ging wie ein Kriegsgott durch die Welt. Der Pflug,
    Die Werkstatt wird verlassen, alles wimmelt       1810
    Der altbekannten Hoffnungsfahne zu –

– Noch fühl ich mich denselben, der ich war!
Es ist der Geist, der sich den Körper baut,
Und Friedland wird sein Lager um sich füllen.
Führt eure Tausende mir kühn entgegen,
Gewohnt wohl sind sie, unter mir zu siegen,
Nicht gegen mich – Wenn Haupt und Glieder sich trennen,
Da wird sich zeigen, wo die Seele wohnte.
(Illo und Terzky treten ein.)
Mut, Freunde, Mut! Wir sind noch nicht zu Boden.
Fünf Regimenter Terzky sind noch unser                    1820
Und Buttlers wackre Scharen – Morgen stößt
Ein Heer zu uns von sechzehntausend Schweden.
Nicht mächt'ger war ich, als ich vor neun Jahren
Auszog, dem Kaiser Deutschland zu erobern.


VIERZEHNTER AUFTRITT

*Vorige. Neumann, der den Grafen Terzky beiseite führt und
mit ihm spricht.*

T e r z k y *(zu Neumann)*.
    Was suchen Sie?
W a l l e n s t e i n.    Was gibt's?
T e r z k y.                          Zehn Kürassiere
    Von Pappenheim verlangen dich im Namen
    Des Regiments zu sprechen.
W a l l e n s t e i n *(schnell zu Neumann)*.    Laß sie kommen.
(Neumann geht hinaus.)
    Davon erwart ich etwas. Gebet acht,
    Sie zweifeln noch und sind noch zu gewinnen.


FÜNFZEHNTER AUFTRITT

*Wallenstein. Terzky. Illo. Zehn Kürassiere, von einem Ge-
freiten geführt, marschieren auf und stellen sich nach dem
Kommando in einem Glied vor den Herzog, die Honneurs
machend.*

W a l l e n s t e i n *(nachdem er sie eine Zeitlang mit den
    Augen gemessen, zum Gefreiten)*.
    Ich kenne dich wohl. Du bist aus Brügg' in Flandern,  1830
    Dein Nam' ist Mercy.

Gefreiter.                    Heinrich Mercy heiß ich.
Wallenstein.
    Du wurdest abgeschnitten auf dem Marsch,
    Von Hessischen umringt und schlugst dich durch,
    Mit hundertachtzig Mann durch ihrer tausend.
Gefreiter. So ist's, mein General.
Wallenstein.                          Was wurde dir
    Für diese wackre Tat?
Gefreiter.                    Die Ehr', mein Feldherr,
    Um die ich bat, bei diesem Korps zu dienen.
Wallenstein (wendet sich zu einem andern).
    Du warst darunter, als ich die Freiwilligen
    Heraus ließ treten auf dem Altenberg,
    Die schwed'sche Batterie hinwegzunehmen.            1840
Zweiter Kürassier. So ist's, mein Feldherr.
Wallenstein.                        Ich vergesse keinen,
    Mit dem ich einmal Worte hab gewechselt.
    Bringt eure Sache vor.
Gefreiter (kommandiert).   Gewehr in Arm!
Wallenstein (zu einem dritten gewendet).
    Du nennst dich Risbeck, Köln ist dein Geburtsort.
Dritter Kürassier. Risbeck aus Köln.
Wallenstein.
    Den schwed'schen Oberst Dübald brachtest du
    Gefangen ein im Nürenberger Lager.
Dritter Kürassier. Ich nicht, mein General.
Wallenstein.                        Ganz recht! Es war
    Dein ältrer Bruder, der es tat – du hattest
    Noch einen jüngern Bruder, wo blieb der?            1850
Dritter Kürassier.
    Er steht zu Olmütz bei des Kaisers Heer.
Wallenstein (zum Gefreiten). Nun so laß hören.
Gefreiter. Ein kaiserlicher Brief kam uns zu Handen,
    Der uns –
Wallenstein (unterbricht ihn).
            Wer wählte euch?
Gefreiter.                    Jedwede Fahn'
    Zog ihren Mann durchs Los.
Wallenstein.                    Nun denn zur Sache!
Gefreiter. Ein kaiserlicher Brief kam uns zu Handen,
    Der uns befiehlt, die Pflicht dir aufzukünden,
    Weil du ein Feind und Landsverräter seist.

Wallenstein. Was habt ihr drauf beschlossen?
Gefreiter.                                    Unsre Kameraden
  Zu Braunau, Budweis, Prag und Olmütz haben          1860
  Bereits gehorcht, und ihrem Beispiel folgten
  Die Regimenter Tiefenbach, Toscana.
  – Wir aber glauben's nicht, daß du ein Feind
  Und Landsverräter bist, wir halten's bloß
  Für Lug und Trug und spanische Erfindung.
  *(Treuherzig.)* Du selber sollst uns sagen, was du vorhast,
  Denn du bist immer wahr mit uns gewesen,
  Das höchste Zutraun haben wir zu dir,
  Kein fremder Mund soll zwischen uns sich schieben,
  Den guten Feldherrn und die guten Truppen.          1870
Wallenstein. Daran erkenn ich meine Pappenheimer.
Gefreiter. Und dies entbietet dir dein Regiment:
  Ist's deine Absicht bloß, dies Kriegeszepter,
  Das dir gebührt, das dir der Kaiser hat
  Vertraut, in deinen Händen zu bewahren,
  Östreichs rechtschaffner Feldhauptmann zu sein,
  So wollen wir dir beistehn und dich schützen
  Bei deinem guten Rechte gegen jeden –
  Und wenn die andern Regimenter alle
  Sich von dir wenden, wollen wir allein          1880
  Dir treu sein, unser Leben für dich lassen.
  Denn das ist unsre Reiterpflicht, daß wir
  Umkommen lieber, als dich sinken lassen.
  Wenn's aber so ist, wie des Kaisers Brief
  Besagt, wenn's wahr ist, daß du uns zum Feind
  Treuloserweise willst hinüberführen,
  Was Gott verhüte! ja, so wollen wir
  Dich auch verlassen und dem Brief gehorchen.
Wallenstein. Hört, Kinder –
Gefreiter.                          Braucht nicht viel Worte. Sprich
  Ja oder nein, so sind wir schon zufrieden.          1890
Wallenstein.
  Hört an. Ich weiß, daß ihr verständig seid,
  Selbst prüft und denkt und nicht der Herde folgt.
  Drum hab ich euch, ihr wißt's, auch ehrenvoll
  Stets unterschieden in der Heereswoge;
  Denn nur die Fahnen zählt der schnelle Blick
  Des Feldherrn, er bemerkt kein einzeln Haupt,
  Streng herrscht und blind der eiserne Befehl,

Es kann der Mensch dem Menschen hier nichts gelten –
So, wißt ihr, hab ich's nicht mit euch gehalten;
Wie ihr euch selbst zu fassen angefangen                     1900
Im rohen Handwerk, wie von euren Stirnen
Der menschliche Gedanke mir geleuchtet,
Hab ich als freie Männer euch behandelt,
Der eignen Stimme Recht euch zugestanden –

Gefreiter. Ja, würdig hast du stets mit uns verfahren,
Mein Feldherr, uns geehrt durch dein Vertraun,
Uns Gunst erzeigt vor allen Regimentern.
Wir folgen auch dem großen Haufen nicht,
Du siehst's! Wir wollen treulich bei dir halten.
Sprich nur ein Wort, dein Wort soll uns genügen,             1910
Daß es Verrat nicht sei, worauf du sinnst,
Daß du das Heer zum Feind nicht wollest führen.

Wallenstein.
Mich, mich verrät man! Aufgeopfert hat mich
Der Kaiser meinen Feinden, fallen muß ich,
Wenn meine braven Truppen mich nicht retten.
Euch will ich mich vertrauen – Euer Herz
Sei meine Festung! Seht, auf diese Brust
Zielt man! Nach diesem greisen Haupte! – Das
Ist span'sche Dankbarkeit, das haben wir
Für jene Mordschlacht auf der alten Feste,                   1920
Auf Lützens Ebnen! Darum warfen wir
Die nackte Brust der Partisan' entgegen,
Drum machten wir die eisbedeckte Erde,
Den harten Stein zu unserm Pfühl; kein Strom
War uns zu schnell, kein Wald zu undurchdringlich,
Wir folgten jenem Mansfeld unverdrossen
Durch alle Schlangenkrümmen seiner Flucht,
Ein ruheloser Marsch war unser Leben,
Und wie des Windes Sausen, heimatlos,
Durchstürmten wir die kriegbewegte Erde.                     1930
Und jetzt, da wir die schwere Waffenarbeit,
Die undankbare, fluchbeladene, getan,
Mit unermüdet treuem Arm des Krieges Last
Gewälzt, soll dieser kaiserliche Jüngling
Den Frieden leicht wegtragen, soll den Ölzweig,
Die wohlverdiente Zierde *unsers* Haupts,
Sich in die blonden Knabenhaare flechten –

Gefreiter. Das soll er nicht, solang wir's hindern können.

Niemand als du, der ihn mit Ruhm geführt,
Soll diesen Krieg, den fürchterlichen, enden.          1940
Du führtest uns heraus ins blut'ge Feld
Des Todes, du, kein andrer, sollst uns fröhlich
Heimführen in des Friedens schöne Fluren,
Der langen Arbeit Früchte mit uns teilen —

W a l l e n s t e i n .

Wie? denkt ihr euch im späten Alter endlich
Der Früchte zu erfreuen? Glaubt das nicht.
Ihr werdet dieses Kampfes Ende nimmer
Erblicken! Dieser Krieg verschlingt uns alle.
Östreich will keinen Frieden; darum eben,
Weil *ich* den Frieden suche, muß ich fallen.          1950
Was kümmert's Östreich, ob der lange Krieg
Die Heere aufreibt und die Welt verwüstet,
Es will nur wachsen stets und Land gewinnen.
Ihr seid gerührt — ich seh den edeln Zorn
Aus euren kriegerischen Augen blitzen.
O daß mein Geist euch jetzt beseelen möchte,
Kühn, wie er einst in Schlachten euch geführt!
Ihr wollt mir beistehn, wollt mich mit den Waffen
Bei meinem Rechte schützen — das ist edelmütig!
Doch denket nicht, daß ihr's vollenden werdet,          1960
Das kleine Heer! Vergebens werdet ihr
Für euren Feldherrn euch geopfert haben.
*(Zutraulich.)* Nein! Laßt uns sicher gehen, Freunde suchen,
Der Schwede sagt uns Hilfe zu, laßt uns
Zum Schein sie nutzen, bis wir, beiden furchtbar,
Europens Schicksal in den Händen tragen
Und der erfreuten Welt aus unserm Lager
Den Frieden schön bekränzt entgegenführen.

G e f r e i t e r .

So treibst du's mit dem Schweden nur zum Schein?
Du willst den Kaiser nicht verraten, willst uns          1970
Nicht schwedisch machen? — sieh, das ist's allein,
Was wir von dir verlangen zu erfahren.

W a l l e n s t e i n .

Was geht der Schwed' mich an? Ich haß ihn, wie
Den Pfuhl der Hölle, und mit Gott gedenk ich ihn
Bald über seine Ostsee heimzujagen.
Mir ist's allein ums Ganze. Seht! Ich hab
Ein Herz, der Jammer dieses deutschen Volks erbarmt mich.

Ihr seid gemeine Männer nur, doch denkt
Ihr nicht gemein, ihr scheint mir's wert vor andern,
Daß ich ein traulich Wörtlein zu euch rede –                    1980
Seht! Fünfzehn Jahr schon brennt die Kriegsfackel,
Und noch ist nirgends Stillstand. Schwed' und Deutscher!
Papist und Lutheraner! Keiner will
Dem andern weichen! Jede Hand ist wider
Die andre! Alles ist Partei und nirgends
Kein Richter! Sagt, wo soll das enden? wer
Den Knäul entwirren, der, sich endlos selbst
Vermehrend, wächst – Er muß zerhauen werden.
Ich fühl's, daß ich der Mann des Schicksals bin,
Und hoff's mit eurer Hilfe zu vollführen.                    1990


SECHZEHNTER AUFTRITT

*Buttler. Vorige.*

B u t t l e r  *(in Eifer).*
     Das ist nicht wohlgetan, mein Feldherr.
W a l l e n s t e i n.                         Was?
B u t t l e r.  Das muß uns schaden bei den Gutgesinnten.
W a l l e n s t e i n.
     Was denn?
B u t t l e r.   Es heißt den Aufruhr öffentlich erklären!
W a l l e n s t e i n.  Was ist es denn?
B u t t l e r.                         Graf Terzkys Regimenter reißen
     Den kaiserlichen Adler von den Fahnen
     Und pflanzen deine Zeichen auf.
G e f r e i t e r  *(zu den Kürassieren).*   Rechts um!
W a l l e n s t e i n.
     Verflucht sei dieser Rat, und wer ihn gab!
     *(Zu den Kürassieren, welche abmarschieren.)*
     Halt, Kinder, halt – Es ist ein Irrtum – Hört –
     Und streng will ich's bestrafen – Hört doch! Bleibt.
     Sie hören nicht.
     *(Zu Illo.)*       Geh nach, bedeute sie,                    2000
     Bring sie zurück, es koste was es wolle.
                         *(Illo eilt hinaus.)*
     Das stürzt uns ins Verderben – Buttler! Buttler!
     Ihr seid mein böser Dämon, warum mußtet Ihr's
     In ihrem Beisein melden! – Alles war

Auf gutem Weg – Sie waren halb gewonnen –
Die Rasenden, mit ihrer unbedachten
Dienstfertigkeit! – O grausam spielt das Glück
Mit mir! Der Freunde Eifer ist's, der mich
Zugrunde richtet, nicht der Haß der Feinde.


SIEBZEHNTER AUFTRITT

*Vorige. Die Herzogin stürzt ins Zimmer. Ihr folgt Thekla
und die Gräfin. Dann Illo.*

Herzogin.
  O Albrecht! Was hast du getan!
Wallenstein.                    Nun das noch!      2010
Gräfin. Verzeih mir, Bruder. Ich vermocht' es nicht,
  Sie wissen alles.
Herzogin.      Was hast du getan!
Gräfin *(zu Terzky)*.
  Ist keine Hoffnung mehr? Ist alles denn
  Verloren?
Terzky.   Alles. Prag ist in des Kaisers Hand,
  Die Regimenter haben neu gehuldigt.
Gräfin. Heimtückischer Octavio! – Und auch
  Graf Max ist fort?
Terzky.          Wo sollt er sein? Er ist
  Mit seinem Vater über zu dem Kaiser.
*(Thekla stürzt in die Arme ihrer Mutter, das Gesicht an
          ihrem Busen verbergend.)*
Herzogin *(sie in die Arme schließend)*.
  Unglücklich Kind! Unglücklichere Mutter!
Wallenstein *(beiseite gehend mit Terzky)*.
  Laß einen Reisewagen schnell bereit sein      2020
  Im Hinterhofe, diese wegzubringen.
  *(Auf die Frauen zeigend.)*
  Der Scherfenberg kann mit, der ist uns treu,
  Nach Eger bringt er sie, wir folgen nach.
  *(Zu Illo, der wiederkommt.)*
  Du bringst sie nicht zurück?
Illo.                  Hörst du den Auflauf?
  Das ganze Korps der Pappenheimer ist
  Im Anzug. Sie verlangen ihren Oberst,
  Den Max zurück, er sei hier auf dem Schloß,

Behaupten sie, du haltest ihn mit Zwang,
Und wenn du ihn nicht losgebst, werde man
Ihn mit dem Schwerte zu befreien wissen.          2030
          (Alle stehn erstaunt.)

T e r z k y.  Was soll man daraus machen?

W a l l e n s t e i n.                    Sagt' ich's nicht?
O mein wahrsagend Herz! Er ist noch hier.
Er hat mich nicht verraten, hat es nicht
Vermocht – Ich habe nie daran gezweifelt.

G r ä f i n.  Ist er noch hier, o dann ist alles gut,
Dann weiß ich, was ihn ewig halten soll!
(Thekla umarmend.)

T e r z k y.  Es kann nicht sein. Bedenke doch! Der Alte
Hat uns verraten, ist zum Kaiser über,
Wie kann er's wagen, hierzusein?

I l l o  (zum Wallenstein).          Den Jagdzug,
Den du ihm kürzlich schenktest, sah ich noch          2040
Vor wenig Stunden übern Markt wegführen.

G r ä f i n.  O Nichte, dann ist er nicht weit!

T h e k l a  (hat den Blick nach der Türe geheftet und ruft
lebhaft).                              Da ist er!


ACHTZEHNTER AUFTRITT

Die Vorigen. Max Piccolomini.

M a x  (mitten in den Saal tretend).
Ja! Ja! da ist er! Ich vermag's nicht länger,
Mit leisem Tritt um dieses Haus zu schleichen,
Den günst'gen Augenblick verstohlen zu
Erlauern – Dieses Harren, diese Angst
Geht über meine Kräfte! (Auf Thekla zugehend, welche
sich ihrer Mutter in die Arme geworfen.)
O sieh mich an! Sieh nicht weg, holder Engel.
Bekenn es frei vor allen. Fürchte niemand.
Es höre, wer es will, daß wir uns lieben.          2050
Wozu es noch verbergen? Das Geheimnis
Ist für die Glücklichen; das Unglück braucht,
Das hoffnungslose, keinen Schleier mehr,
Frei unter tausend Sonnen kann es handeln.
(Er bemerkt die Gräfin, welche mit frohlockendem Gesicht
auf Thekla blickt.)

Nein, Base Terzky! Seht mich nicht erwartend,
Nicht hoffend an! Ich komme nicht, zu bleiben.
Abschied zu nehmen, komm ich – Es ist aus.
Ich muß, muß dich verlassen, Thekla – muß!
Doch deinen Haß kann ich nicht mit mir nehmen.
Nur einen Blick des Mitleids gönne mir,                    2060
Sag, daß du mich nicht hassest. Sag mir's, Thekla.
*(Indem er ihre Hand faßt, heftig bewegt.)*
O Gott! – Gott! Ich kann nicht von dieser Stelle.
Ich kann es nicht – kann diese Hand nicht lassen.
Sag, Thekla, daß du Mitleid mit mir hast,
Dich selber überzeugst, ich kann nicht anders.
*(Thekla, seinen Blick vermeidend, zeigt mit der Hand auf*
*ihren Vater; er wendet sich nach dem Herzog um, den er*
*jetzt erst gewahr wird.)*
Du hier? – Nicht du bist's, den ich hier gesucht.
Dich sollten meine Augen nicht mehr schauen.
Ich hab es nur mit ihr allein. Hier will ich,
Von diesem Herzen freigesprochen sein,
An allem andern ist nichts mehr gelegen.                   2070
Wallenstein.
Denkst du, ich soll der Tor sein und dich ziehen lassen
Und eine Großmutsszene mit dir spielen?
Dein Vater ist zum Schelm an mir geworden,
Du bist mir nichts mehr als sein Sohn, sollst nicht
Umsonst in meine Macht gegeben sein.
Denk nicht, daß ich die alte Freundschaft ehren werde,
Die er so ruchlos hat verletzt. Die Zeiten
Der Liebe sind vorbei, der zarten Schonung,
Und Haß und Rache kommen an die Reihe.
Ich kann auch Unmensch sein, wie er.                       2080
Max. Du wirst mit mir verfahren, wie du Macht hast.
Wohl aber weißt du, daß ich deinem Zorn
Nicht trotze, noch ihn fürchte. Was ich hier
Zurückhält, weißt du! *(Thekla bei der Hand fassend.)*
Sieh! Alles – alles wollt' ich dir verdanken,
Das Los der Seligen wollt' ich empfangen
Aus deiner väterlichen Hand. Du hast's
Zerstört, doch daran liegt dir nichts. Gleichgültig
Trittst du das Glück der Deinen in den Staub,
Der Gott, dem *du* dienst, ist kein Gott der Gnade.        2090
Wie das gemütlos blinde Element,

Das furchtbare, mit dem kein Bund zu schließen,
Folgst du des Herzens wildem Trieb allein.
Weh denen, die auf dich vertraun, an dich
Die sichre Hütte ihres Glückes lehnen,
Gelockt von deiner gastlichen Gestalt!
Schnell, unverhofft, bei nächtlich stiller Weile
Gärt's in dem tück'schen Feuerschlunde, ladet
Sich aus mit tobender Gewalt, und weg
Treibt über alle Pflanzungen der Menschen          2100
Der wilde Strom in grausender Zerstörung.

W a l l e n s t e i n.
Du schilderst deines Vaters Herz. Wie du's
Beschreibst, so ist's in seinem Eingeweide,
In dieser schwarzen Heuchlers Brust gestaltet.
O mich hat Höllenkunst getäuscht. Mir sandte
Der Abgrund den verstecktesten der Geister,
Den Lügekundigsten herauf und stellt ihn
Als Freund an meine Seite. Wer vermag
Der Hölle Macht zu widerstehn! Ich zog
Den Basilisken auf an meinem Busen,          2110
Mit meinem Herzblut nährt' ich ihn, er sog
Sich schwelgend voll an meiner Liebe Brüsten,
Ich hatte nimmer Arges gegen ihn,
Weit offen ließ ich des Gedankens Tore
Und warf die Schlüssel weiser Vorsicht weg –
Am Sternenhimmel suchten meine Augen,
Im weiten Weltenraum den Feind, den ich
Im Herzen meines Herzens eingeschlossen.
– Wär' ich dem *Ferdinand* gewesen, was
Octavio *mir* war – Ich hätt' ihm nie          2120
Krieg angekündigt – nie hätt' ich's vermocht.
Er war mein strenger Herr nur, nicht mein Freund,
Nicht meiner Treu vertraute sich der Kaiser.
Krieg war schon zwischen mir und ihm, als er
Den Feldherrnstab in meine Hände legte;
Denn Krieg ist ewig zwischen List und Argwohn,
Nur zwischen Glauben und Vertraun ist Friede.
Wer das Vertraun vergiftet, o der mordet
Das werdende Geschlecht im Leib der Mutter.

M a x.  Ich will den Vater nicht verteidigen.          2130
Weh mir, daß ich's nicht kann!
Unglücklich schwere Taten sind geschehn,

Und eine Frevelhandlung faßt die andre
In enggeschloßner Kette grausend an.
Doch wie gerieten *wir*, die nichts verschuldet,
In diesen Kreis des Unglücks und Verbrechens?
Wem brachen *wir* die Treue? Warum muß
Der Väter Doppelschuld und Freveltat
Uns gräßlich wie ein Schlangenpaar umwinden?
Warum der Väter unversöhnter Haß          2140
Auch uns, die Liebenden, zerreißend scheiden?
*(Er umschlingt Thekla mit heftigem Schmerz.)*

W a l l e n s t e i n *(hat den Blick schweigend auf ihn geheftet und nähert sich jetzt).*

Max! Bleibe bei mir. – Geh nicht von mir, Max!
Sieh, als man dich im pragschen Winterlager
Ins Zelt mir brachte, einen zarten Knaben,
Des deutschen Winters ungewohnt, die Hand
War dir erstarrt an der gewichtigen Fahne,
Du wolltest männlich sie nicht lassen, damals nahm ich
Dich auf, bedeckte dich mit meinem Mantel,
Ich selbst war deine Wärterin, nicht schäm' ich
Der kleinen Dienste mich, ich pflegte deiner          2150
Mit weiblich sorgender Geschäftigkeit,
Bis du, von mir erwärmt, an meinem Herzen,
Das junge Leben wieder freudig fühltest.
Wann hab ich seitdem meinen Sinn verändert?
Ich habe viele Tausend reich gemacht,
Mit Ländereien sie beschenkt, belohnt
Mit Ehrenstellen – dich hab ich *geliebt*,
Mein Herz, mich selber hab ich dir gegeben.
Sie alle waren Fremdlinge, *du* warst
Das Kind des Hauses – Max! du kannst mich nicht
                                        verlassen!          2160
Es kann nicht sein, ich mag's und will's nicht glauben,
Daß mich der Max verlassen kann.

M a x.                              O Gott!

W a l l e n s t e i n. Ich habe dich gehalten und getragen
Von Kindesbeinen an – Was tat dein Vater
Für dich, das ich nicht reichlich auch getan?
Ein Liebesnetz hab ich um dich gesponnen,
Zerreiß es, wenn du kannst – Du bist an mich
Geknüpft mit jedem zarten Seelenbande,
Mit jeder heil'gen Fessel der Natur,

Die Menschen aneinanderketten kann.                    2170
Geh hin, verlaß mich, diene deinem Kaiser,
Laß dich mit einem goldnen Gnadenkettlein,
Mit seinem Widderfell dafür belohnen,
Daß dir der Freund, der Vater deiner Jugend,
Daß dir das heiligste Gefühl nichts galt.

Max *(in heftigem Kampf)*.
O Gott! Wie kann ich anders? Muß ich nicht?
Mein Eid – die Pflicht –

Wallenstein.          Pflicht, gegen wen? Wer bist du?
Wenn *ich* am Kaiser unrecht handle, ist's
Mein Unrecht, nicht das deinige. Gehörst
Du dir? Bist du dein eigener Gebieter,                  2180
Stehst frei da in der Welt, wie ich, daß du
Der Täter deiner Taten könntest sein?
Auf *mich* bist du gepflanzt, ich bin dein Kaiser,
Mir angehören, mir gehorchen, *das*
Ist deine Ehre, dein Naturgesetz.
Und wenn der Stern, auf dem du lebst und wohnst,
Aus seinem Gleise tritt, sich brennend wirft
Auf eine nächste Welt und sie entzündet,
Du kannst nicht wählen, ob du folgen willst,
Fort reißt er dich in seines Schwunges Kraft           2190
Samt seinem Ring und allen seinen Monden.
Mit leichter Schuld gehst du in diesen Streit,
Dich wird die Welt nicht tadeln, sie wird's loben,
Daß dir der Freund das meiste hat gegolten.


NEUNZEHNTER AUFTRITT

*Vorige. Neumann.*

Wallenstein. Was gibt's?
Neumann. Die Pappenheimischen sind abgesessen
Und rücken an zu Fuß; sie sind entschlossen,
Den Degen in der Hand das Haus zu stürmen,
Den Grafen wollen sie befrein.

Wallenstein *(zu Terzky)*.   Man soll
Die Ketten vorziehn, das Geschütz aufpflanzen.         2200
Mit Kettenkugeln will ich sie empfangen.
                    *(Terzky geht.)*
Mir vorzuschreiben mit dem Schwert! Geh, Neumann,

Sie sollen sich zurückziehn, augenblicks,
Ist mein Befehl, und in der Ordnung *schweigend* warten,
Was mir gefallen wird zu tun.
  *(Neumann geht ab. Illo ist ans Fenster getreten.)*
G r ä f i n.                Entlaß ihn.
  Ich bitte dich, entlaß ihn!
I l l o *(am Fenster)*.        Tod und Teufel!
W a l l e n s t e i n. Was ist's?
I l l o.               Aufs Rathaus steigen sie, das Dach
  Wird abgedeckt, sie richten die Kanonen
  Aufs Haus –
M a x.       Die Rasenden!
I l l o.             Sie machen Anstalt,
  Uns zu beschießen –
H e r z o g i n und G r ä f i n.    Gott im Himmel!
M a x *(zu Wallenstein)*.             Laß mich 2210
  Hinunter, sie bedeuten –
W a l l e n s t e i n.       Keinen Schritt!
M a x *(auf Thekla und die Herzogin zeigend)*.
  Ihr Leben aber! Deins!
W a l l e n s t e i n.     Was bringst du, Terzky?


ZWANZIGSTER AUFTRITT

*Vorige. Terzky kommt zurück.*

T e r z k y. Botschaft von unsern treuen Regimentern.
  Ihr Mut sei länger nicht zu bändigen,
  Sie flehen um Erlaubnis, anzugreifen,
  Vom Prager- und vom Mühl-Tor sind sie Herr,
  Und wenn du nur die Losung wolltest geben,
  So könnten sie den Feind im Rücken fassen,
  Ihn in die Stadt einkeilen, in der Enge
  Der Straßen leicht ihn überwältigen.        2220
I l l o. O komm! Laß ihren Eifer nicht erkalten.
  Die Buttlerischen halten treu zu uns,
  Wir sind die größre Zahl und werfen sie
  Und enden hier in Pilsen die Empörung.
W a l l e n s t e i n.
  Soll diese Stadt zum Schlachtgefilde werden
  Und brüderliche Zwietracht, feueraugig,
  Durch ihre Straßen losgelassen toben?

Dem tauben Grimm, der keinen Führer hört,
Soll die Entscheidung übergeben sein?
Hier ist nicht Raum zum Schlagen, nur zum Würgen;  2230
Die losgebundnen Furien der Wut
Ruft keines Herrschers Stimme mehr zurück.
Wohl, es mag sein! Ich hab es lang bedacht,
So mag sich's rasch und blutig denn entladen.
*(Zu Max gewendet.)*
Wie ist's? Willst du den Gang mit mir versuchen?
Freiheit zu gehen hast du. Stelle dich
Mir gegenüber. Führe sie zum Kampf.
Den Krieg verstehst du, hast bei mir etwas
Gelernt, ich darf des Gegners mich nicht schämen,
Und keinen schönern Tag erlebst du, mir                    2240
Die Schule zu bezahlen.
G r ä f i n.                    Ist es dahin
Gekommen? Vetter! Vetter! könnt Ihr's tragen?
M a x. Die Regimenter, die mir anvertraut sind,
Dem Kaiser treu hinwegzuführen, hab ich
Gelobt; dies will ich halten oder sterben.
Mehr fordert keine Pflicht von mir. Ich fechte
Nicht gegen dich, wenn ich's vermeiden kann,
Denn auch dein feindlich Haupt ist mir noch heilig.
*(Es geschehn zwei Schüsse. Illo und Terzky eilen ans*
*Fenster.)*
W a l l e n s t e i n. Was ist das?
T e r z k y. Er stürzt.
W a l l e n s t e i n.          Stürzt! Wer?
I l l o.                              Die Tiefenbacher taten
Den Schuß.                                                 2251
W a l l e n s t e i n.   Auf wen?
I l l o.                          Auf diesen Neumann, den
Du schicktest –
W a l l e n s t e i n *(auffahrend)*.
                        Tod und Teufel! So will ich –
*(Will gehen.)*
T e r z k y. Dich ihrer blinden Wut entgegenstellen?
H e r z o g i n und G r ä f i n.
Um Gotteswillen nicht!
I l l o.                        Jetzt nicht, mein Feldherr.
G r ä f i n. O halt ihn! halt ihn!
W a l l e n s t e i n.              Laßt mich!

M a x.                                        Tu es nicht,
  Jetzt nicht. Die blutig rasche Tat hat sie
  In Wut gesetzt, erwarte ihre Reue –
W a l l e n s t e i n.
  Hinweg! Zu lange schon hab ich gezaudert.
  Das konnten sie sich freventlich erkühnen,
  Weil sie mein Angesicht nicht sahn – sie sollen        2260
  Mein Antlitz sehen, meine Stimme hören –
  Sind es nicht *meine* Truppen? Bin ich nicht
  Ihr Feldherr und gefürchteter Gebieter?
  Laß sehn, ob sie das Antlitz nicht mehr kennen,
  Das ihre Sonne war in dunkler Schlacht.
  Es braucht der Waffen nicht. Ich zeige mich
  Vom Altan dem Rebellenheer, und schnell
  Bezähmt, gebt acht, kehrt der empörte Sinn
  Ins alte Bette des Gehorsams wieder.
  *(Er geht. Ihm folgen Illo, Terzky und Buttler.)*


EINUNDZWANZIGSTER AUFTRITT

*Gräfin. Herzogin. Max und Thekla.*

G r ä f i n *(zur Herzogin).*
  Wenn sie ihn sehn – Es ist noch Hoffnung, Schwester. 2270
H e r z o g i n. Hoffnung! Ich habe keine.
M a x *(der während des letzten Auftritts in einem sicht-
baren Kampf von ferne gestanden, tritt näher).*
                       Das ertrag ich nicht.
  Ich kam hieher mit fest entschiedner Seele,
  Ich glaubte, recht und tadellos zu tun,
  Und muß hier stehen, wie ein Hassenswerter,
  Ein roh Unmenschlicher, vom Fluch belastet,
  Vom Abscheu aller, die mir teuer sind,
  Unwürdig schwer bedrängt die Lieben sehn,
  Die ich mit einem Wort beglücken kann –
  Das Herz in mir empört sich, es erheben
  Zwei Stimmen streitend sich in meiner Brust,        2280
  In mir ist Nacht, ich weiß das Rechte nicht zu wählen.
  O wohl, wohl hast du wahr geredet, Vater,
  Zu viel vertraut' ich auf das eigne Herz,
  Ich stehe wankend, weiß nicht, was ich soll.
G r ä f i n. Sie wissen's nicht? Ihr Herz sagt's Ihnen nicht?

So will *ich's* Ihnen sagen!
Ihr Vater hat den schreienden Verrat
An uns begangen, an des Fürsten Haupt
Gefrevelt, uns in Schmach gestürzt, daraus
Ergibt sich klar, was *Sie*, sein Sohn, tun sollen:          2290
Gutmachen, was der Schändliche verbrochen,
Ein Beispiel aufzustellen frommer Treu,
Daß nicht der Name Piccolomini
Ein Schandlied sei, ein ew'ger Fluch im Haus
Der Wallensteiner.
M a x.                    Wo ist eine Stimme
Der Wahrheit, der ich folgen darf? Uns alle
Bewegt der Wunsch, die Leidenschaft. Daß jetzt
Ein Engel mir vom Himmel niederstiege,
Das Rechte mir, das unverfälschte, schöpfte
Am reinen Lichtquell, mit der reinen Hand!          2300
*(Indem seine Augen auf Thekla fallen.)*
Wie? Such ich diesen Engel noch? Erwart ich
Noch einen andern?
*(Er nähert sich ihr, den Arm um sie schlagend.)*
                    Hier, auf dieses Herz,
Das unfehlbare, heilig reine will
Ich's legen, deine Liebe will ich fragen,
Die nur den Glücklichen beglücken kann,
Vom unglückselig Schuldigen sich wendet.
Kannst du mich dann noch lieben, wenn ich bleibe?
Erkläre, daß du's kannst, und ich bin euer.
G r ä f i n *(mit Bedeutung).*
Bedenkt –
M a x *(unterbricht sie).*
                    Bedenke nichts. Sag, wie du's fühlst.
G r ä f i n. An Euren Vater denkt –
M a x *(unterbricht sie).*          Nicht Friedlands Tochter,
Ich frage dich, dich, die Geliebte frag ich!          2311
Es gilt nicht, eine Krone zu gewinnen,
Das möchtest du mit klugem Geist bedenken.
Die Ruhe deines Freundes gilt's, das Glück
Von einem Tausend tapfrer Heldenherzen,
Die seine Tat zum Muster nehmen werden.
Soll ich dem Kaiser Eid und Pflicht abschwören?
Soll ich ins Lager des Octavio
Die vatermörderische Kugel senden?

Denn wenn die Kugel los ist aus dem Lauf, 2320
Ist sie kein totes Werkzeug mehr, sie lebt,
Ein Geist fährt in sie, die Erinnyen
Ergreifen sie, des Frevels Rächerinnen,
Und führen tückisch sie den ärgsten Weg.

T h e k l a. O Max –
M a x *(unterbricht sie).* Nein, übereile dich auch nicht.
Ich kenne dich. Dem edeln Herzen könnte
Die schwerste Pflicht die nächste scheinen. Nicht
Das Große, nur das Menschliche geschehe.
Denk, was der Fürst von je an mir getan;
Denk auch, wie's ihm mein Vater hat vergolten, 2330
O auch die schönen, freien Regungen
Der Gastlichkeit, der frommen Freundestreue
Sind eine heilige Religion dem Herzen,
Schwer rächen sie die Schauder der Natur
An dem Barbaren, der sie gräßlich schändet.
Leg alles, alles in die Waage, sprich
Und laß dein Herz entscheiden.

T h e k l a.                           O das deine
Hat längst entschieden. Folge deinem ersten
Gefühl –

G r ä f i n.     Unglückliche!

T h e k l a.                     Wie könnte *das*
Das Rechte sein, was dieses zarte Herz 2340
Nicht gleich zuerst ergriffen und gefunden?
Geh und erfülle deine Pflicht. Ich würde
Dich immer lieben. Was du auch erwählt,
Du würdest edel stets und deiner würdig
Gehandelt haben – aber Reue soll
Nicht deiner Seele schönen Frieden stören.

M a x. So muß ich dich verlassen, von dir scheiden!

T h e k l a. Wie du dir selbst getreu bleibst, bist du's mir.
Uns trennt das Schicksal, unsre Herzen bleiben einig.
Ein blut'ger Haß entzweit auf ew'ge Tage 2350
Die Häuser Friedland, Piccolomini,
Doch wir gehören nicht zu unserm Hause.
– Fort! Eile! Eile, deine gute Sache
Von unsrer unglückseligen zu trennen.
Auf unserm Haupte liegt der Fluch des Himmels,
Es ist dem Untergang geweiht. Auch mich
Wird meines Vaters Schuld mit ins Verderben

Hinabziehn. Traure nicht um mich, mein Schicksal
Wird bald entschieden sein.
*(Max faßt sie in die Arme, heftig bewegt. Man hört hinter*
*der Szene ein lautes, wildes, langverhallendes Geschrei:*
*»Vivat Ferdinandus!« von kriegerischen Instrumenten be-*
*gleitet. Max und Thekla halten einander unbeweglich in den*
*Armen.)*

### ZWEIUNDZWANZIGSTER AUFTRITT

#### Vorige. Terzky.

G r ä f i n *(ihm entgegen).*
  Was war das? Was bedeutete das Rufen?                2360
T e r z k y. Es ist vorbei, und alles ist verloren.
G r ä f i n. Wie, und sie gaben nichts auf seinen Anblick?
T e r z k y. Nichts. Alles war umsonst.
H e r z o g i n.                                    Sie riefen Vivat.
T e r z k y. Dem Kaiser.
G r ä f i n.                          O die Pflichtvergessenen!
T e r z k y. Man ließ ihn nicht einmal zum Worte kommen.
  Als er zu reden anfing, fielen sie
  Mit kriegerischem Spiel betäubend ein.
  – Hier kommt er.

### DREIUNDZWANZIGSTER AUFTRITT

*Vorige. Wallenstein, begleitet von Illo und Buttler. Darauf*
*Kürassiere.*

W a l l e n s t e i n *(im Kommen).*
  Terzky!
T e r z k y.   Mein Fürst?
W a l l e n s t e i n.          Laß unsre Regimenter
  Sich fertig halten, heut noch aufzubrechen,              2370
  Denn wir verlassen Pilsen noch vor Abend.
            *(Terzky geht ab.)*
  Buttler –
B u t t l e r.   Mein General? –
W a l l e n s t e i n.          Der Kommendant zu Eger
  Ist Euer Freund und Landsmann. Schreibt ihm gleich
  Durch einen Eilenden, er soll bereit sein,

Uns morgen in die Festung einzunehmen –
Ihr folgt uns selbst mit Euerm Regiment.
B u t t l e r. Es soll geschehn, mein Feldherr.
W a l l e n s t e i n *(tritt zwischen Max und Thekla, welche*
*sich während dieser Zeit fest umschlungen gehalten).*
Scheidet!

M a x. Gott!
*(Kürassiere mit gezogenem Gewehr treten in den Saal und*
*sammeln sich im Hintergrunde. Zugleich hört man unten*
*einige mutige Passagen aus dem Pappenheimer Marsch,*
*welche dem Max zu rufen scheinen.)*
W a l l e n s t e i n *(zu den Kürassieren).*
Hier ist er. Er ist frei. Ich halt ihn nicht mehr.
*(Er steht abgewendet und so, daß Max ihm nicht bei-*
*kommen, noch sich dem Fräulein nähern kann.)*
M a x. Du hassest mich, treibst mich im Zorn von dir.
Zerreißen soll das Band der alten Liebe,                            2380
Nicht sanft sich lösen, und du willst den Riß,
Den schmerzlichen, mir schmerzlicher noch machen!
Du weißt, ich habe ohne dich zu leben
Noch nicht gelernt – in eine Wüste geh ich
Hinaus, und alles, was mir wert ist, alles
Bleibt hier zurück – O wende deine Augen
Nicht von mir weg! Noch einmal zeige mir
Dein ewig teures und verehrtes Antlitz.
Verstoß mich nicht –
*(Er will seine Hand fassen. Wallenstein zieht sie zurück.*
*Er wendet sich an die Gräfin.)*   Ist hier kein andres Auge,
Das Mitleid für mich hätte – Base Terzky –                         2390
*(Sie wendet sich von ihm; er kehrt sich zur Herzogin.)*
Ehrwürd'ge Mutter –
H e r z o g i n. Gehn Sie, Graf, wohin
Die Pflicht Sie ruft – So können Sie uns einst
Ein treuer Freund, ein guter Engel werden
Am Thron des Kaisers.
M a x. Hoffnung geben Sie mir,
Sie wollen mich nicht ganz verzweifeln lassen.
O täuschen Sie mich nicht mit leerem Blendwerk,
Mein Unglück ist gewiß, und Dank dem Himmel!
Der mir ein Mittel eingibt, es zu enden.
*(Die Kriegsmusik beginnt wieder. Der Saal füllt sich mehr*
*und mehr mit Bewaffneten an. Er sieht Buttlern dastehn.)*

Ihr auch hier, Oberst Buttler – Und Ihr wollt mir
Nicht folgen? – Wohl! Bleibt Eurem neuen Herrn          2400
Getreuer als dem alten. Kommt! Versprecht mir,
Die Hand gebt mir darauf, daß Ihr sein Leben
Beschützen, unverletzlich wollt bewahren.
            *(Buttler verweigert seine Hand.)*
Des Kaisers Acht hängt über ihm und gibt
Sein fürstlich Haupt jedwedem Mordknecht preis,
Der sich den Lohn der Bluttat will verdienen;
Jetzt tät' ihm eines Freundes fromme Sorge,
Der Liebe treues Auge not – und die
Ich scheidend um ihn seh –
*(Zweideutige Blicke auf Illo und Buttler richtend.)*
I l l o.                    Sucht die Verräter
In Eures Vaters, in des Gallas Lager.                    2410
Hier ist nur *einer* noch. Geht und befreit uns
Von seinem hassenswürd'gen Anblick. Geht.
*(Max versucht es noch einmal, sich der Thekla zu nähern.
Wallenstein verhindert es. Er steht unschlüssig, schmerzvoll;
indes füllt sich der Saal immer mehr und mehr, und die
Hörner ertönen unten immer auffordernder und in immer
                kürzeren Pausen.)*
M a x.  Blast! Blast – O wären es die schwed'schen Hörner,
Und ging's von hier gerad ins Feld des Todes,
Und alle Schwerter, alle, die ich hier
Entblößt muß sehn, durchdrängen meinen Busen!
Was wollt ihr? Kommt ihr, mich von hier hinweg-
Zureißen – o treibt mich nicht zur Verzweiflung!
Tut's nicht! Ihr könntet es bereun!
            *(Der Saal ist ganz mit Bewaffneten erfüllt.)*
Noch mehr – Es hängt Gewicht sich an Gewicht,           2420
Und ihre Masse zieht mich schwer hinab. –
Bedenket, was ihr tut. Es ist nicht wohlgetan,
Zum Führer den Verzweifelnden zu wählen.
Ihr reißt mich weg von meinem Glück, wohlan,
Der Rachegöttin weih ich eure Seelen!
Ihr habt gewählt zum eigenen Verderben,
Wer mit mir geht, der sei bereit zu sterben!
*(Indem er sich nach dem Hintergrund wendet, entsteht eine
rasche Bewegung unter den Kürassiers, sie umgeben und be-
gleiten ihn in wildem Tumult. Wallenstein bleibt unbeweg-
lich. Thekla sinkt in ihrer Mutter Arme. Der Vorhang fällt.)*

## VIERTER AUFZUG

*In des Bürgermeisters Hause zu Eger.*

### ERSTER AUFTRITT

B u t t l e r *(der eben anlangt).*
    Er ist herein. Ihn führte sein Verhängnis,
    Der Rechen ist gefallen hinter ihm,
    Und wie die Brücke, die ihn trug, beweglich     2430
    Sich niederließ und schwebend wieder hob,
    Ist jeder Rettungsweg ihm abgeschnitten.
    Bis hieher, Friedland, und nicht weiter! sagt
    Die Schicksalsgöttin. Aus der böhmischen Erde
    Erhub sich dein bewundert Meteor,
    Weit durch den Himmel einen Glanzweg ziehend,
    Und hier an Böhmens Grenze muß es sinken!
    – Du hast die alten Fahnen abgeschworen,
    Verblendeter, und traust dem alten Glück!
    Den Krieg zu tragen in des Kaisers Länder,     2440
    Den heil'gen Herd der Laren umzustürzen,
    Bewaffnest du die frevelhafte Hand.
    Nimm dich in acht! dich treibt der böse Geist
    Der Rache – daß dich Rache nicht verderbe!

### ZWEITER AUFTRITT

*Buttler und Gordon.*

G o r d o n. Seid Ihr's? O wie verlangt mich, Euch zu hören.
    Der Herzog ein Verräter! O mein Gott!
    Und flüchtig! Und sein fürstlich Haupt geächtet!
    Ich bitt Euch, General, sagt mir ausführlich,
    Wie alles dies zu Pilsen sich begeben?
B u t t l e r. Ihr habt den Brief erhalten, den ich Euch     2450
    Durch einen Eilenden vorausgesendet?
G o r d o n. Und habe treu getan, wie Ihr mich hießt,
    Die Festung unbedenklich ihm geöffnet,
    Denn mir befiehlt ein kaiserlicher Brief,
    Nach *Eurer* Ordre blindlings mich zu fügen.
    Jedoch verzeiht! als ich den Fürsten selbst
    Nun sah, da fing ich wieder an, zu zweifeln.

Denn wahrlich! nicht als ein Geächteter
Trat Herzog Friedland ein in diese Stadt.
Von seiner Stirne leuchtete wie sonst                    2460
Des Herrschers Majestät, Gehorsam fordernd,
Und ruhig, wie in Tagen guter Ordnung,
Nahm er des Amtes Rechenschaft mir ab.
Leutselig macht das Mißgeschick, die Schuld,
Und schmeichelnd zum geringern Manne pflegt
Gefallner Stolz herunter sich zu beugen;
Doch sparsam und mit Würde wog der Fürst
Mir jedes Wort des Beifalls, wie der Herr
Den Diener lobt, der seine Pflicht getan.
B u t t l e r.  Wie ich Euch schrieb, so ist's genau geschehn.2470
Es hat der Fürst dem Feinde die Armee
Verkauft, ihm Prag und Eger öffnen wollen.
Verlassen haben ihn auf dies Gerücht
Die Regimenter alle bis auf fünfe,
Die Terzkyschen, die ihm hieher gefolgt.
Die Acht ist ausgesprochen über ihn,
Und ihn zu liefern, lebend oder tot,
Ist jeder treue Diener aufgefordert.
G o r d o n.  Verräter an dem Kaiser – solch ein Herr!
So hochbegabt! O was ist Menschengröße!            2480
Ich sagt' es oft: das kann nicht glücklich enden;
Zum Fallstrick ward ihm seine Größ' und Macht
Und diese dunkelschwankende Gewalt.
Denn um sich greift der Mensch, nicht darf man ihn
Der eignen Mäßigung vertraun. Ihn hält
In Schranken nur das deutliche Gesetz
Und der Gebräuche tiefgetretne Spur.
Doch unnatürlich war und neuer Art
Die Kriegsgewalt in dieses Mannes Händen;
Dem Kaiser selber stellte sie ihn gleich,
Der stolze Geist verlernte, sich zu beugen.            2490
O schad um solchen Mann! denn keiner möchte
Da feste stehen, mein ich, wo er fiel.
B u t t l e r.  Spart Eure Klagen, bis er Mitleid braucht,
Denn jetzt noch ist der Mächtige zu fürchten.
Die Schweden sind im Anmarsch gegen Eger,
Und schnell, wenn wir's nicht rasch entschlossen hindern,
Wird die Vereinigung geschehn. Das darf nicht sein!
Es darf der Fürst nicht freien Fußes mehr

Aus diesem Platz, denn Ehr' und Leben hab ich                2500
  Verpfändet, ihn gefangen hier zu nehmen,
  Und Euer Beistand ist's, auf den ich rechne.
G o r d o n. O hätt' ich nimmer diesen Tag gesehn!
  Aus seiner Hand empfing ich diese Würde,
  Er selber hat dies Schloß mir anvertraut,
  Das ich in seinen Kerker soll verwandeln.
  Wir Subalternen haben keinen Willen;
  Der freie Mann, der mächtige allein
  Gehorcht dem schönen menschlichen Gefühl.
  Wir aber sind nur Schergen des Gesetzes,                  2510
  Des grausamen; Gehorsam heißt die Tugend,
  Um die der Niedre sich bewerben darf.
B u t t l e r. Laßt Euch das enggebundene Vermögen
  Nicht leid tun. Wo viel Freiheit, ist viel Irrtum,
  Doch sicher ist der schmale Weg der Pflicht.
G o r d o n. So hat ihn alles denn verlassen, sagt Ihr?
  Er hat das Glück von Tausenden gegründet,
  Denn königlich war sein Gemüt, und stets
  Zum Geben war die volle Hand geöffnet —
  *(Mit einem Seitenblick auf Buttlern.)*
  Vom Staube hat er manchen aufgelesen,                     2520
  Zu hoher Ehr' und Würden ihn erhöht
  Und hat sich keinen Freund damit, nicht *einen*
  Erkauft, der in der Not ihm Farbe hielt!
B u t t l e r. Hier lebt einer, den er kaum gehofft.
G o r d o n. Ich hab mich keiner Gunst von ihm erfreut.
  Fast zweifl' ich, ob er je in seiner Größe
  Sich eines Jugendfreunds erinnert hat —
  Denn fern von ihm hielt mich der Dienst, sein Auge
  Verlor mich in den Mauern dieser Burg,
  Wo ich, von seiner Gnade nicht erreicht,                  2530
  Das freie Herz im stillen mir bewahrte.
  Denn als er mich in dieses Schloß gesetzt,
  War's ihm noch Ernst um seine Pflicht; nicht sein
  Vertrauen täusch ich, wenn ich treu bewahre,
  Was meiner Treue übergeben ward.
B u t t l e r. So sagt, wollt Ihr die Acht an ihm vollziehn,
  Mir Eure Hilfe leihn, ihn zu verhaften?
G o r d o n *(nach einem nachdenklichen Stillschweigen kum-*
  *mervoll).* Ist es an dem — verhält sich's, wie Ihr sprecht —
  Hat er den Kaiser, seinen Herrn, verraten,

Das Heer verkauft, die Festungen des Landes          2540
Dem Reichsfeind öffnen wollen – Ja, dann ist
Nicht Rettung mehr für ihn – Doch es ist hart,
Daß unter allen eben mich das Los
Zum Werkzeug seines Sturzes muß erwählen.
Denn Pagen waren wir am Hof zu Burgau
Zu gleicher Zeit, ich aber war der ältre.

B u t t l e r.   Ich weiß davon.

G o r d o n.   Wohl dreißig Jahre sind's. Da strebte schon
Der kühne Mut im zwanzigjähr'gen Jüngling.
Ernst über seine Jahre war sein Sinn,          2550
Auf große Dinge männlich nur gerichtet.
Durch unsre Mitte ging er stillen Geists,
Sich selber die Gesellschaft; nicht die Lust,
Die kindische, der Knaben zog ihn an;
Doch oft ergriff's ihn plötzlich wundersam,
Und der geheimnisvollen Brust entfuhr,
Sinnvoll und leuchtend, ein Gedankenstrahl,
Daß wir uns staunend ansahn, nicht recht wissend,
Ob Wahnsinn, ob ein Gott aus ihm gesprochen.

B u t t l e r.
Dort war's, wo er zwei Stock hoch niederstürzte,          2560
Als er im Fensterbogen eingeschlummert,
Und unbeschädigt stand er wieder auf.
Von diesem Tag an, sagt man, ließen sich
Anwandlungen des Wahnsinns bei ihm spüren.

G o r d o n.   Tiefsinn'ger wurd' er, das ist wahr, er wurde
Katholisch. Wunderbar hatt' ihn das Wunder
Der Rettung umgekehrt. Er hielt sich nun
Für ein begünstigt und befreites Wesen,
Und keck wie einer, der nicht straucheln kann,
Lief er auf schwankem Seil des Lebens hin.          2570
Nachher führt' uns das Schicksal auseinander
Weit, weit! Er ging der Größe kühnen Weg,
Mit schnellem Schritt, ich sah ihn schwindelnd gehn,
Ward Graf und Fürst und Herzog und Diktator,
Und jetzt ist alles ihm zu klein, er streckt
Die Hände nach der Königskrone aus
Und stürzt in unermeßliches Verderben!

B u t t l e r.   Brecht ab. Er kommt.

DRITTER AUFTRITT

*Wallenstein im Gespräch mit dem Bürgermeister von Eger.*
*Die Vorigen.*

W a l l e n s t e i n.  Ihr wart sonst eine freie Stadt? Ich seh,
    Ihr führt den halben Adler in dem Wappen.      2580
    Warum den halben nur?
B ü r g e r m e i s t e r.      Wir waren reichsfrei,
    Doch seit zweihundert Jahren ist die Stadt
    Der böhm'schen Kron' verpfändet. Daher rührt's,
    Daß wir nur noch den halben Adler führen.
    Der untre Teil ist kanzelliert, bis etwa
    Das Reich uns wieder einlöst.
W a l l e n s t e i n.            Ihr verdientet
    Die Freiheit. Haltet euch nur brav. Gebt keinem
    Aufwieglervolk Gehör. Wie hoch seid ihr
    Besteuert?
B ü r g e r m e i s t e r *(zuckt die Achseln).*
           Daß wir's kaum erschwingen können.
    Die Garnison lebt auch auf unsre Kosten.      2590
W a l l e n s t e i n.  Ihr sollt erleichtert werden. Sagt mir an,
    Es sind noch Protestanten in der Stadt?
            *(Bürgermeister stutzt.)*
    Ja, ja. Ich weiß es. Es verbergen sich noch viele
    In diesen Mauern – ja! gesteht's nur frei –
    Ihr selbst – Nicht wahr?
    *(Fixiert ihn mit den Augen. Bürgermeister erschrickt.)*
                Seid ohne Furcht. Ich hasse
    Die Jesuiten – Läg's an mir, sie wären längst
    Aus Reiches Grenzen – Meßbuch oder Bibel!
    Mir ist's all eins – Ich hab's der Welt bewiesen –
    In Glogau hab ich selber eine Kirch'
    Den Evangelischen erbauen lassen.      2600
    – Hört, Bürgermeister – wie ist Euer Name?
B ü r g e r m e i s t e r.  Pachhälbel, mein erlauchter Fürst.
W a l l e n s t e i n.  Hört – aber sagt's nicht weiter, was ich Euch
    Jetzt im Vertraun eröffne.
    *(Ihm die Hand auf die Achsel legend, mit einer gewissen*
    *Feierlichkeit.)*      Die Erfüllung
    Der Zeiten ist gekommen, Bürgermeister.
    Die Hohen werden fallen, und die Niedrigen
    Erheben sich – Behaltet's aber bei Euch!

Die spanische Doppelherrschaft neiget sich
Zu ihrem Ende, eine neue Ordnung
Der Dinge führt sich ein – Ihr saht doch jüngst          2610
Am Himmel die drei Monde?
B ü r g e r m e i s t e r.                    Mit Entsetzen.
W a l l e n s t e i n. Davon sind zwei in blut'ge Dolchgestalt
Verzogen und verwandelten. Nur einer,
Der mittlere blieb stehn in seiner Klarheit.
B ü r g e r m e i s t e r. Wir zogen's auf den Türken.
W a l l e n s t e i n.                         Türken! Was?
Zwei Reiche werden blutig untergehen
Im Osten und im Westen, sag ich Euch,
Und nur der lutherische Glaub' wird bleiben.
*(Er bemerkt die zwei andern.)*
Ein starkes Schießen war ja diesen Abend
Zur linken Hand, als wir den Weg hieher          2620
Gemacht. Vernahm man's auch hier in der Festung?
G o r d o n. Wohl hörten wir's, mein General. Es brachte
Der Wind den Schall gerad von Süden her.
B u t t l e r. Von Neustadt oder Weiden schien's zu kommen.
W a l l e n s t e i n.
Das ist der Weg, auf dem die Schweden nahn.
Wie stark ist die Besatzung?
G o r d o n.                      Hundertachtzig
Dienstfähige Mann, der Rest sind Invaliden.
W a l l e n s t e i n. Und wieviel stehn im Jochimstal?
G o r d o n.                                   Zweihundert
Arkebusierer hab ich hingeschickt,
Den Posten zu verstärken gegen die Schweden.          2630
W a l l e n s t e i n. Ich lobe Eure Vorsicht. An den Werken
Wird auch gebaut. Ich sah's bei der Hereinfahrt.
G o r d o n. Weil uns der Rheingraf jetzt so nah bedrängt,
Ließ ich noch zwei Pasteien schnell errichten.
W a l l e n s t e i n. Ihr seid genau in Eures Kaisers Dienst.
Ich bin mit Euch zufrieden, Oberstleutnant.
*(Zu Buttlern.)* Der Posten in dem Jochimstal soll abziehn
Samt allen, die dem Feind entgegenstehn.
*(Zu Gordon.)* In Euren treuen Händen, Kommendant,
Laß ich mein Weib, mein Kind und meine Schwester.          2640
Denn hier ist meines Bleibens nicht; nur Briefe
Erwart ich, mit dem frühesten die Festung
Samt allen Regimentern zu verlassen.

*Vorige. Graf Terzky.*

Terzky. Willkommne Botschaft! Frohe Zeitungen!
Wallenstein. Was bringst du?
Terzky.                    Eine Schlacht ist vorgefallen
  Bei Neustadt, und die Schweden blieben Sieger.
Wallenstein.
  Was sagst du? Woher kommt dir diese Nachricht?
Terzky. Ein Landmann bracht' es mit von Tirschenreit,
  Nach Sonnenuntergang hab's angefangen,
  Ein kaiserlicher Trupp von Tachau her          2650
  Sei eingebrochen in das schwed'sche Lager,
  Zwei Stunden hab' das Schießen angehalten,
  Und tausend Kaiserliche sei'n geblieben,
  Ihr Oberst mit, mehr wußt' er nicht zu sagen.
Wallenstein.
  Wie käme kaiserliches Volk nach Neustadt?
  Der Altringer, er müßte Flügel haben,
  Stand gestern vierzehn Meilen noch von da;
  Des Gallas Völker sammeln sich zu Fraunberg
  Und sind noch nicht beisammen. Hätte sich
  Der Suys etwa so weit vorgewagt?          2660
  Es kann nicht sein.
                    *(Illo erscheint.)*
Terzky.          Wir werden's alsbald hören,
  Denn hier kommt Illo fröhlich und voll Eile.

*Illo. Die Vorigen.*

Illo *(zu Wallenstein).*
  Ein Reitender ist da und will dich sprechen.
Terzky. Hat's mit dem Siege sich bestätigt? Sprich!
Wallenstein. Was bringt er? Woher kommt er?
Illo.                    Von dem Rheingraf,
  Und was er bringt, will ich voraus dir melden.
  Die Schweden stehn fünf Meilen nur von hier,
  Bei Neustadt hab' der Piccolomini
  Sich mit der Reiterei auf sie geworfen,
  Ein fürchterliches Morden sei geschehn,          2670

Doch endlich hab' die Menge überwältigt,
Die Pappenheimer alle, auch der Max,
Der sie geführt – sei'n auf dem Platz geblieben.

W a l l e n s t e i n.
Wo ist der Bote? Bringt mich zu ihm.

*(Will abgehen. Indem stürzt Fräulein Neubrunn ins Zimmer, ihr folgen einige Bediente, die durch den Saal rennen.)*

N e u b r u n n.                              Hilfe! Hilfe!

I l l o und T e r z k y.
Was gibt's?

N e u b r u n n.    Das Fräulein! –

W a l l e n s t e i n und T e r z k y.    Weiß sie's?

N e u b r u n n.                              Sie will sterben.

*(Eilt fort. Wallenstein und Terzky mit Illo ihr nach.)*


SECHSTER AUFTRITT

*Buttler und Gordon.*

G o r d o n *(erstaunt).*
Erklärt mir. Was bedeutete der Auftritt?

B u t t l e r.  Sie hat den Mann verloren, den sie liebte,
Der Piccolomini war's, der umgekommen.

G o r d o n.  Unglücklich Fräulein!

B u t t l e r.  Ihr habt gehört, was dieser Illo brachte,    2680
Daß sich die Schweden siegend nahn.

G o r d o n.                              Wohl hört' ich's.

B u t t l e r.  Zwölf Regimenter sind sie stark, und fünf
Stehn in der Näh', den Herzog zu beschützen.
Wir haben nur mein einzig Regiment,
Und nicht zweihundert stark ist die Besatzung.

G o r d o n.  So ist's.

B u t t l e r.  Nicht möglich ist's, mit so geringer Mannschaft
Solch einen Staatsgefangnen zu bewahren.

G o r d o n.  Das seh ich ein.

B u t t l e r.  Die Menge hätte bald das kleine Häuflein    2690
Entwaffnet, ihn befreit.

G o r d o n.              Das ist zu fürchten.

B u t t l e r *(nach einer Pause).*
Wißt! Ich bin Bürge worden für den Ausgang,
Mit meinem Haupte haft ich für das seine,
Wort muß ich halten, führ's wohin es will,

Und ist der Lebende nicht zu bewahren,
  So ist – der Tote uns gewiß.

G o r d o n. Versteh ich Euch? Gerechter Gott! Ihr könntet –
B u t t l e r. Er darf nicht leben.
G o r d o n.                              Ihr vermöchtet's?
B u t t l e r. Ihr oder ich. Er sah den letzten Morgen.
G o r d o n. Ermorden wollt Ihr ihn?
B u t t l e r.                              Das ist mein Vorsatz. 2700
G o r d o n. Der Eurer Treu vertraut!
B u t t l e r.                              Sein böses Schicksal!
G o r d o n. Des Feldherrn heilige Person!
B u t t l e r.                              Das *war* er!
G o r d o n. O was er war, löscht kein Verbrechen aus!
  Ohn' Urtel?
B u t t l e r.     Die Vollstreckung ist statt Urtels.
G o r d o n. Das wäre Mord und nicht Gerechtigkeit,
  Denn hören muß sie auch den Schuldigsten.
B u t t l e r. Klar ist die Schuld, der Kaiser hat gerichtet,
  Und seinen Willen nur vollstrecken wir.
G o r d o n.
Den blut'gen Spruch muß man nicht rasch vollziehn,
  Ein Wort nimmt sich, ein Leben nie zurück.        2710
B u t t l e r. Der hurt'ge Dienst gefällt den Königen.
G o r d o n. Zu Henkers Dienst drängt sich kein edler Mann.
B u t t l e r. Kein mutiger erbleicht vor kühner Tat.
G o r d o n. Das Leben wagt der Mut, nicht das Gewissen.
B u t t l e r. Was? Soll er frei ausgehn, des Krieges Flamme,
  Die unauslöschliche, aufs neu entzünden?
G o r d o n. Nehmt ihn gefangen, tötet ihn nur nicht,
  Greift blutig nicht dem Gnadenengel vor.
B u t t l e r. Wär' die Armee des Kaisers nicht geschlagen,
  Möcht' ich lebendig ihn erhalten haben.        2720
G o r d o n. O warum schloß ich ihm die Festung auf!
B u t t l e r. Der Ort nicht, sein Verhängnis tötet ihn.
G o r d o n. Auf diesen Wällen wär' ich ritterlich,
  Des Kaisers Schloß verteidigend, gesunken.
B u t t l e r. Und tausend brave Männer kamen um!
G o r d o n.
In ihrer Pflicht – das schmückt und ehrt den Mann;
  Doch schwarzen Mord verfluchte die Natur.
B u t t l e r *(eine Schrift hervorlangend)*.
Hier ist das Manifest, das uns befiehlt,

Uns seiner zu bemächtigen. Es ist an Euch
Gerichtet, wie an mich. Wollt Ihr die Folgen tragen,   2730
Wenn er zum Feind entrinnt durch unsre Schuld?
G o r d o n.  Ich, der Ohnmächtige, o Gott!
B u t t l e r.  Nehmt Ihr's auf Euch. Steht für die Folgen ein!
Mag werden draus was will! Ich leg's auf Euch.
G o r d o n.  O Gott im Himmel!
B u t t l e r.                         Wißt Ihr andern Rat,
Des Kaisers Meinung zu vollziehen? Sprecht!
Denn stürzen, nicht vernichten will ich ihn.
G o r d o n.  O Gott! Was sein muß, seh ich klar wie Ihr,
Doch anders schlägt das Herz in meiner Brust.
B u t t l e r.  Auch dieser Illo, dieser Terzky dürfen   2740
Nicht leben, wenn der Herzog fällt.
G o r d o n.  O nicht um diese tut mir's leid. *Sie* trieb
Ihr schlechtes Herz, nicht die Gewalt der Sterne.
*Sie* waren's, die in seine ruh'ge Brust
Den Samen böser Leidenschaft gestreut,
Die mit fluchwürdiger Geschäftigkeit
Die Unglücksfrucht in ihm genährt – Mag sie
Des bösen Dienstes böser Lohn ereilen!
B u t t l e r.  Auch sollen sie im Tod ihm gleich voran.
Verabred't ist schon alles. Diesen Abend   2750
Bei eines Gastmahls Freuden wollten wir
Sie lebend greifen und im Schloß bewahren.
Viel kürzer ist es so. Ich geh sogleich,
Die nötigen Befehle zu erteilen.

### SIEBENTER AUFTRITT

*Vorige. Illo und Terzky.*

T e r z k y.  Nun soll's bald anders werden! Morgen ziehn
Die Schweden ein, zwölftausend tapfre Krieger.
Dann grad auf Wien. He! Lustig, Alter! Kein
So herb Gesicht zu solcher Freudenbotschaft!
I l l o.  Jetzt ist's an uns, Gesetze vorzuschreiben
Und Rach' zu nehmen an den schlechten Menschen,   2760
Den schändlichen, die uns verlassen. Einer
Hat's schon gebüßt, der Piccolomini.
Ging's allen so, die's übel mit uns meinen!
Wie schwer trifft dieser Schlag das alte Haupt!

Der hat sein ganzes Leben lang sich ab-
Gequält, sein altes Grafenhaus zu fürsten,
Und jetzt begräbt er seinen einz'gen Sohn!
B u t t l e r. Schad ist's doch um den heldenmüt'gen Jüngling,
Dem Herzog selbst ging's nah, man sah es wohl.
I l l o. Hört, alter Freund! Das ist es, was mir nie      2770
Am Herrn gefiel, es war mein ew'ger Zank,
Er hat die Welschen immer vorgezogen.
Auch jetzo noch, ich schwör's bei meiner Seele,
Säh' er uns alle lieber zehnmal tot,
Könnt' er den Freund damit ins Leben rufen.
T e r z k y. Still! Still! Nicht weiter! Laß die Toten ruhn!
Heut gilt es, wer den andern niedertrinkt,
Denn Euer Regiment will uns bewirten.
Wir wollen eine lust'ge Faßnacht halten,
Die Nacht sei einmal Tag, bei vollen Gläsern      2780
Erwarten wir die schwed'sche Avantgarde.
I l l o. Ja, laßt uns heut noch guter Dinge sein,
Denn heiße Tage stehen uns bevor.
Nicht ruhn soll dieser Degen, bis er sich
In österreich'schem Blute satt gebadet.
G o r d o n. Pfui, welche Red' ist das, Herr Feldmarschall,
Warum so wüten gegen Euren Kaiser –
B u t t l e r. Hofft nicht zu viel von diesem ersten Sieg.
Bedenkt, wie schnell des Glückes Rad sich dreht,
Denn immer noch sehr mächtig ist der Kaiser.      2790
I l l o. Der Kaiser hat Soldaten, keinen Feldherrn,
Denn dieser König Ferdinand von Ungarn
Versteht den Krieg nicht – Gallas? Hat kein Glück
Und war von jeher nur ein Heerverderber.
Und diese Schlange, der Octavio,
Kann in die Fersen heimlich wohl verwunden,
Doch nicht in offner Schlacht dem Friedland stehn.
T e r z k y.
Nicht fehlen kann's uns, glaubt mir's nur. Das Glück
Verläßt den Herzog nicht; bekannt ist's ja,
Nur unterm Wallenstein kann Östreich siegen.      2800
I l l o. Der Fürst wird ehestens ein großes Heer
Beisammen haben, alles drängt sich, strömt
Herbei zum alten Ruhme seiner Fahnen.
Die alten Tage seh ich wiederkehren,
Der Große wird er wieder, der er war –

Wie werden sich die Toren dann ins Aug'
Geschlagen haben, die ihn jetzt verließen!
Denn Länder schenken wird er seinen Freunden
Und treue Dienste kaiserlich belohnen.
Wir aber sind in seiner Gunst die nächsten.        2810
*(Zu Gordon.)*
Auch Eurer wird er dann gedenken, wird Euch
Aus diesem Neste ziehen, Eure Treu
In einem höhern Posten glänzen lassen.
G o r d o n.  Ich bin vergnügt, verlange höher nicht
Hinauf: wo große Höh', ist große Tiefe.
I l l o.  Ihr habt hier weiter nichts mehr zu bestellen,
Denn morgen ziehn die Schweden in die Festung.
Kommt, Terzky. Es wird Zeit zum Abendessen.
Was meint Ihr? Lassen wir die Stadt erleuchten,
Dem Schwedischen zur Ehr', und wer's nicht tut,   2820
Der ist ein Spanischer und ein Verräter.
T e r z k y.  Laßt das. Es wird dem Herzog nicht gefallen.
I l l o.  Was! Wir sind Meister hier, und keiner soll sich
Für kaiserlich bekennen, wo wir herrschen.
– Gut Nacht, Gordon. Laßt Euch zum letztenmal
Den Platz empfohlen sein, schickt Runden aus,
Zur Sicherheit kann man das Wort noch ändern.
Schlag zehn bringt Ihr dem Herzog selbst die Schlüssel,
Dann seid Ihr Eures Schließeramtes quitt,
Denn morgen ziehn die Schweden in die Festung.    2830
T e r z k y *(im Abgehen zu Buttler).*
Ihr kommt doch auch aufs Schloß?
B u t t l e r.                          Zu rechter Zeit.
*(Jene gehen ab.)*


ACHTER AUFTRITT

*Buttler und Gordon.*

G o r d o n *(ihnen nachsehend).*
Die Unglückseligen! Wie ahnungslos
Sie in das ausgespannte Mordnetz stürzen
In ihrer blinden Siegestrunkenheit! –
Ich kann sie nicht beklagen. Dieser Illo,
Der übermütig freche Bösewicht,
Der sich in seines Kaisers Blut will baden!

B u t t l e r.
  Tut, wie er Euch befohlen. Schickt Patrouillen
  Herum, sorgt für die Sicherheit der Festung;
  Sind jene oben, schließ ich gleich die Burg,     2840
  Daß in der Stadt nichts von der Tat verlaute!
G o r d o n *(ängstlich)*. O eilt nicht so! Erst sagt mir –
B u t t l e r.                     Ihr vernahmt's,
  Der nächste Morgen schon gehört den Schweden.
  Die Nacht nur ist noch unser, sie sind schnell,
  Noch schneller wollen *wir* sein – Lebet wohl.
G o r d o n. Ach Eure Blicke sagen mir nichts Gutes.
  Versprechet mir –
B u t t l e r.         Der Sonne Licht ist unter,
  Herabsteigt ein verhängnisvoller Abend –
  *Sie* macht ihr Dünkel sicher. Wehrlos gibt sie
  Ihr böser Stern in unsre Hand, und mitten     2850
  In ihrem trunknen Glückeswahne soll
  Der scharfe Stahl ihr Leben rasch zerschneiden.
  Ein großer Rechenkünstler war der Fürst
  Von jeher, alles wußt' er zu berechnen,
  Die Menschen wußt' er, gleich des Brettspiels Steinen,
  Nach seinem Zweck zu setzen und zu schieben,
  Nicht Anstand nahm er, andrer Ehr' und Würde
  Und guten Ruf zu würfeln und zu spielen.
  Gerechnet hat er fort und fort, und endlich
  Wird doch der Kalkul irrig sein; er wird     2860
  Sein Leben selbst hineingerechnet haben,
  Wie jener dort in seinem Zirkel fallen.
G o r d o n. O seiner Fehler nicht gedenket jetzt!
  An seine Größe denkt, an seine Milde,
  An seines Herzens liebenswerte Züge,
  An alle Edeltaten seines Lebens,
  Und laßt sie in das aufgehobne Schwert
  Als Engel bittend, gnadeflehend fallen.
B u t t l e r. Es ist zu spät. Nicht Mitleid darf ich fühlen,
  Ich darf nur blutige Gedanken haben.     2870
  *(Gordons Hand fassend.)*
  Gordon! Nicht meines Hasses Trieb – Ich liebe
  Den Herzog nicht und hab dazu nicht Ursach' –
  Doch nicht mein Haß macht mich zu seinem Mörder.
  Sein böses Schicksal ist's. Das Unglück treibt mich,
  Die feindliche Zusammenkunft der Dinge.

Es denkt der Mensch die freie Tat zu tun,
Umsonst! Er ist das Spielwerk nur der blinden
Gewalt, die aus der eignen Wahl ihm schnell
Die furchtbare Notwendigkeit erschafft.
Was hälf's ihm auch, wenn mir für ihn im Herzen          2880
Was redete – Ich muß ihn dennoch töten.

G o r d o n.  O wenn das Herz Euch warnt, folgt seinem Triebe!
Das Herz ist Gottes Stimme, Menschenwerk
Ist aller Klugheit künstliche Berechnung.
Was kann aus blut'ger Tat Euch Glückliches
Gedeihen? O aus Blut entspringt nicht Gutes!
Soll sie die Staffel Euch zur Größe bauen?
O glaubt das nicht – Es kann der Mord bisweilen
Den Königen, der Mörder nie gefallen.

B u t t l e r.  Ihr wißt nicht. Fragt nicht. Warum mußten auch
Die Schweden siegen und so eilend nahn!          2891
Gern überließ ich ihn des Kaisers Gnade,
Sein Blut nicht will ich. Nein, er möchte leben.
Doch meines Wortes Ehre muß ich lösen.
Und sterben muß er, oder – hört und wißt! –
Ich bin enthehrt, wenn uns der Fürst entkommt.

G o r d o n.  O solchen Mann zu retten –
B u t t l e r  *(schnell).*                    Was?
G o r d o n.  Ist eines Opfers wert – Seid edelmütig!
Das Herz und nicht die Meinung ehrt den Mann.

B u t t l e r  *(kalt und stolz).*
Er ist ein großer Herr, der Fürst – Ich aber          2900
Bin nur ein kleines Haupt, das wollt Ihr sagen.
Was liegt der Welt dran, meint Ihr, ob der niedrig
Geborene sich ehret oder schändet,
Wenn nur der Fürstliche gerettet wird.
– Ein jeder gibt den Wert sich selbst. Wie hoch ich
Mich selbst anschlagen will, das steht bei mir.
So hoch gestellt ist keiner auf der Erde,
Daß ich mich selber neben ihm verachte.
Den Menschen macht sein *Wille* groß und klein,
Und weil ich meinem treu bin, muß er sterben.          2910

G o r d o n.  O einen Felsen streb ich zu bewegen!
Ihr seid von Menschen menschlich nicht gezeugt.
Nicht hindern kann ich Euch, ihn aber rette
Ein Gott aus Eurer fürchterlichen Hand.

*(Sie gehen ab.)*

NEUNTER AUFTRITT

*Ein Zimmer bei der Herzogin.*

*Thekla in einem Sessel, bleich, mit geschloßnen Augen. Herzogin und Fräulein von Neubrunn um sie beschäftigt. Wallenstein und die Gräfin im Gespräch.*

W a l l e n s t e i n. Wie wußte sie es denn so schnell?
G r ä f i n.                              Sie scheint
  Unglück geahnt zu haben. Das Gerücht
  Von einer Schlacht erschreckte sie, worin
  Der kaiserliche Oberst sei gefallen.
  Ich sah es gleich. Sie flog dem schwedischen
  Kurier entgegen und entriß ihm schnell          2920
  Durch Fragen das unglückliche Geheimnis.
  Zu spät vermißten wir sie, eilten nach,
  Ohnmächtig lag sie schon in seinen Armen.
W a l l e n s t e i n. So unbereitet mußte dieser Schlag
  Sie treffen! Armes Kind! – Wie ist's? Erholt sie sich?
  *(Indem er sich zur Herzogin wendet.)*
H e r z o g i n. Sie schlägt die Augen auf.
G r ä f i n.                           Sie lebt!
T h e k l a *(sich umschauend).*              Wo bin ich?
W a l l e n s t e i n *(tritt zu ihr, sie mit seinen Armen aufrichtend).*
  Komm zu dir, Thekla. Sei mein starkes Mädchen!
  Sieh deiner Mutter liebende Gestalt
  Und deines Vaters Arme, die dich halten.
T h e k l a *(richtet sich auf).*
  Wo ist er? Ist er nicht mehr hier?
H e r z o g i n.                       Wer, meine Tochter? 2930
T h e k l a. Der dieses Unglückswort aussprach –
H e r z o g i n. O denke nicht daran, mein Kind! Hinweg
  Von diesem Bilde wende die Gedanken.
W a l l e n s t e i n.
  Laßt ihren Kummer reden! Laßt sie klagen!
  Mischt eure Tränen mit den ihrigen.
  Denn einen großen Schmerz hat sie erfahren;
  Doch wird sie's überstehn, denn meine Thekla
  Hat ihres Vaters unbezwungnes Herz.
T h e k l a. Ich bin nicht krank. Ich habe Kraft, zu stehn.
  Was weint die Mutter? Hab ich sie erschreckt?          2940

Es ist vorüber, ich besinne mich wieder.
*(Sie ist aufgestanden und sucht mit den Augen im Zimmer.)*
Wo ist er? Man verberge mir ihn nicht.
Ich habe Stärke gnug, ich will ihn hören.
H e r z o g i n. Nein, Thekla! Dieser Unglücksbote soll
Nie wieder unter deine Augen treten.
T h e k l a. Mein Vater –
W a l l e n s t e i n.            Liebes Kind!
T h e k l a.                          Ich bin nicht schwach,
Ich werde mich auch bald noch mehr erholen.
Gewähren Sie mir eine Bitte.
W a l l e n s t e i n.            Sprich!
T h e k l a. Erlauben Sie, daß dieser fremde Mann
Gerufen werde! daß ich ihn allein                          2950
Vernehme und befrage.
H e r z o g i n.            Nimmermehr!
G r ä f i n. Nein! Das ist nicht zu raten! Gib's nicht zu!
W a l l e n s t e i n.
Warum willst du ihn sprechen, meine Tochter?
T h e k l a. Ich bin gefaßter, wenn ich alles weiß.
Ich will nicht hintergangen sein. Die Mutter
Will mich nur schonen. Ich will nicht geschont sein.
Das Schrecklichste ist ja gesagt, ich kann
Nichts Schrecklichers mehr hören.
G r ä f i n und H e r z o g i n *(zu Wallenstein)*.
                              Tu es nicht!
T h e k l a. Ich wurde überrascht von meinem Schrecken,
Mein Herz verriet mich bei dem fremden Mann,          2960
Er war ein Zeuge meiner Schwachheit, ja,
Ich sank in seine Arme – das beschämt mich.
Herstellen muß ich mich in seiner Achtung,
Und sprechen muß ich ihn, notwendig, daß
Der fremde Mann nicht ungleich von mir denke.
W a l l e n s t e i n. Ich finde, sie hat recht – und bin geneigt,
Ihr diese Bitte zu gewähren. Ruft ihn.
                    *(Fräulein Neubrunn geht hinaus.)*
H e r z o g i n. Ich, deine Mutter, aber will dabei sein.
T h e k l a. Am liebsten spräch' ich ihn allein. Ich werde
Alsdann um so gefaßter mich betragen.                  2970
W a l l e n s t e i n *(zur Herzogin)*.
Laß es geschehn. Laß sie's mit ihm allein
Ausmachen. Es gibt Schmerzen, wo der Mensch

Sich selbst nur helfen kann, ein starkes Herz
Will sich auf seine Stärke nur verlassen.
In *ihrer*, nicht an fremder Brust muß sie
Kraft schöpfen, diesen Schlag zu überstehn.
Es ist mein starkes Mädchen; nicht als Weib,
Als Heldin will ich sie behandelt sehn. *(Er will gehen.)*

G r ä f i n *(hält ihn)*.
  Wo gehst du hin? Ich hörte Terzky sagen,
  Du denkest morgen früh von hier zu gehn,        2980
  Uns aber hierzulassen.

W a l l e n s t e i n.         Ja, ihr bleibt
  Dem Schutze wackrer Männer übergeben.

G r ä f i n. O nimm uns mit dir, Bruder! Laß uns nicht
  In dieser düstern Einsamkeit dem Ausgang
  Mit sorgendem Gemüt entgegenharren.
  Das gegenwärt'ge Unglück trägt sich leicht,
  Doch grauenvoll vergrößert es der Zweifel
  Und der Erwartung Qual dem weit Entfernten.

W a l l e n s t e i n.
  Wer spricht von Unglück? Beßre deine Rede.
  Ich hab ganz andre Hoffnungen.        2990

G r ä f i n. So nimm uns mit. O laß uns nicht zurück
  In diesem Ort der traurigen Bedeutung,
  Denn schwer ist mir das Herz in diesen Mauern,
  Und wie ein Totenkeller haucht mich's an,
  Ich kann nicht sagen, wie der Ort mir widert.
  O führ uns weg! Komm, Schwester, bitt ihn auch,
  Daß er uns fortnimmt! Hilf mir, liebe Nichte.

W a l l e n s t e i n. Des Ortes böse Zeichen will ich ändern:
  Er sei's, der mir mein Teuerstes bewahrte.

N e u b r u n n *(kommt zurück)*.
  Der schwed'sche Herr!

W a l l e n s t e i n.        Laßt sie mit ihm allein. *(Ab.)* 3000

H e r z o g i n *(zu Thekla)*.
  Sieh, wie du dich entfärbtest! Kind, du kannst ihn
  Unmöglich sprechen. Folge deiner Mutter.

T h e k l a. Die Neubrunn mag denn in der Nähe bleiben.
      *(Herzogin und Gräfin gehen ab.)*

ZEHNTER AUFTRITT

*Thekla. Der schwedische Hauptmann. Fräulein Neubrunn.*

Hauptmann *(naht sich ehrerbietig).*
   Prinzessin – ich – muß um Verzeihung bitten,
   Mein unbesonnen rasches Wort – Wie konnt' ich –
Thekla *(mit edelm Anstand).*
   Sie haben mich in meinem Schmerz gesehn,
   Ein unglücksvoller Zufall machte Sie
   Aus einem Fremdling schnell mir zum Vertrauten.
Hauptmann. Ich fürchte, daß Sie meinen Anblick hassen,
   Denn meine Zunge sprach ein traurig Wort.          3010
Thekla. Die Schuld ist mein. Ich selbst entriß es Ihnen,
   Sie waren nur die Stimme meines Schicksals.
   Mein Schrecken unterbrach den angefangnen
   Bericht. Ich bitte drum, daß Sie ihn enden.
Hauptmann *(bedenklich).*
   Prinzessin, es wird Ihren Schmerz erneuern.
Thekla. Ich bin darauf gefaßt – Ich will gefaßt sein.
   Wie fing das Treffen an? Vollenden Sie.
Hauptmann. Wir standen, keines Überfalls gewärtig,
   Bei Neustadt schwach verschanzt in unserm Lager,
   Als gegen Abend eine Wolke Staubes          3020
   Aufstieg vom Wald her, unser Vortrab fliehend
   Ins Lager stürzte, rief: der Feind sei da.
   Wir hatten eben nur noch Zeit, uns schnell
   Aufs Pferd zu werfen, da durchbrachen schon,
   In vollem Rosseslauf dahergesprengt,
   Die Pappenheimer den Verhack; schnell war
   Der Graben auch, der sich ums Lager zog,
   Von diesen stürm'schen Scharen überflogen.
   Doch unbesonnen hatte sie der Mut
   Vorausgeführt den andern, weit dahinten          3030
   War noch das Fußvolk, nur die Pappenheimer waren
   Dem kühnen Führer kühn gefolgt. –
*(Thekla macht eine Bewegung. Der Hauptmann hält einen*
*Augenblick inne, bis sie ihm einen Wink gibt, fortzufahren.)*
   Von vorn und von den Flanken faßten wir
   Sie jetzo mit der ganzen Reiterei
   Und drängten sie zurück zum Graben, wo
   Das Fußvolk, schnell geordnet, einen Rechen
   Von Piken ihnen starr entgegenstreckte.

Nicht vorwärts konnten sie, auch nicht zurück,
Gekeilt in drangvoll fürchterliche Enge.
Da rief der Rheingraf ihrem Führer zu, 3040
In guter Schlacht sich ehrlich zu ergeben,
Doch Oberst Piccolomini –
   *(Thekla schwindelnd, faßt einen Sessel.)*
     ihn machte
Der Helmbusch kenntlich und das lange Haar,
Vom raschen Ritte war's ihm losgegangen –
Zum Graben winkt er, sprengt, der erste, selbst
Sein edles Roß darüber weg, ihm stürzt
Das Regiment nach – doch – schon war's geschehen!
Sein Pferd, von einer Partisan durchstoßen, bäumt
Sich wütend, schleudert weit den Reiter ab,
Und hoch weg über ihn geht die Gewalt 3050
Der Rosse, keinem Zügel mehr gehorchend.
*(Thekla, welche die letzten Reden mit allen Zeichen wach-*
*sender Angst begleitet, verfällt in ein heftiges Zittern, sie*
*will sinken, Fräulein Neubrunn eilt hinzu und empfängt sie*
       *in ihren Armen.)*
N e u b r u n n. Mein teures Fräulein –
H a u p t m a n n *(gerührt).*     Ich entferne mich.
T h e k l a. Es ist vorüber – Bringen Sie's zu Ende.
H a u p t m a n n. Da ergriff, als sie den Führer fallen sahn,
Die Truppen grimmig wütende Verzweiflung.
Der eignen Rettung denkt jetzt keiner mehr,
Gleich wilden Tigern fechten sie, es reizt
Ihr starrer Widerstand die Unsrigen,
Und eher nicht erfolgt des Kampfes Ende,
Als bis der letzte Mann gefallen ist. 3060
T h e k l a *(mit zitternder Stimme).*
Und wo – wo ist – Sie sagten mir nicht alles.
H a u p t m a n n *(nach einer Pause).*
Heut früh bestatteten wir ihn. Ihn trugen
Zwölf Jünglinge der edelsten Geschlechter,
Das ganze Heer begleitete die Bahre.
Ein Lorbeer schmückte seinen Sarg, drauf legte
Der Rheingraf selbst den eignen Siegerdegen.
Auch Tränen fehlten seinem Schicksal nicht,
Denn viele sind bei uns, die seine Großmut
Und seiner Sitten Freundlichkeit erfahren,
Und alle rührte sein Geschick. Gern hätte 3070

Der Rheingraf ihn gerettet, doch er selbst
Vereitelt' es; man sagt, er wollte sterben.
Neubrunn *(gerührt zu Thekla, welche ihr Angesicht*
*verhüllt hat).*
Mein teures Fräulein – Fräulein, sehn Sie auf!
O warum mußten Sie darauf bestehn!
Thekla. – Wo ist sein Grab?
Hauptmann.                    In einer Klosterkirche
Bei Neustadt ist er beigesetzt, bis man
Von seinem Vater Nachricht eingezogen.
Thekla. Wie heißt das Kloster?
Hauptmann.                    Sankt Kathrinenstift.
Thekla. Ist's weit bis dahin?
Hauptmann.                    Sieben Meilen zählt man.
Thekla. Wie geht der Weg?
Hauptmann.                    Man kommt bei Tirschenreit 3080
Und Falkenberg durch unsre ersten Posten.
Thekla. Wer kommandiert sie?
Hauptmann.                    Oberst Seckendorf.
Thekla *(tritt an den Tisch und nimmt aus dem Schmuck-*
*kästchen einen Ring).*
Sie haben mich in meinem Schmerz gesehn
Und mir ein menschlich Herz gezeigt – Empfangen Sie
*(indem sie ihm den Ring gibt)*
Ein Angedenken dieser Stunde – Gehn Sie.
Hauptmann *(bestürzt).* Prinzessin –
*(Thekla winkt ihm schweigend, zu gehen, und verläßt ihn.*
*Hauptmann zaudert und will reden. Fräulein Neubrunn*
*wiederholt den Wink. Er geht ab.)*


ELFTER AUFTRITT

*Thekla. Neubrunn.*

Thekla *(fällt der Neubrunn um den Hals).*
Jetzt, gute Neubrunn, zeige mir die Liebe,
Die du mir stets gelobt, beweise dich
Als meine treue Freundin und Gefährtin!
– Wir müssen fort, noch diese Nacht.
Neubrunn.                    Fort, und wohin? 3090
Thekla. Wohin? Es ist nur *ein* Ort in der Welt!
Wo er bestattet liegt, zu seinem Sarge!

N e u b r u n n.
    Was können Sie dort wollen, teures Fräulein?
T h e k l a. Was dort, Unglückliche! So würdest du
    Nicht fragen, wenn du je geliebt. Dort, dort
    Ist alles, was noch übrig ist von ihm,
    Der einz'ge Fleck ist mir die ganze Erde.
    – O halte mich nicht auf! Komm und mach Anstalt.
    Laß uns auf Mittel denken, zu entfliehen.
N e u b r u n n. Bedachten Sie auch Ihres Vaters Zorn? 3100
T h e k l a. Ich fürchte keines Menschen Zürnen mehr.
N e u b r u n n. Den Hohn der Welt! des Tadels arge Zunge!
T h e k l a. Ich suche einen auf, der nicht mehr ist.
    Will ich denn in die Arme – o mein Gott!
    Ich will ja in die Gruft nur des Geliebten.
N e u b r u n n.
    Und wir allein, zwei hilflos schwache Weiber?
T h e k l a. Wir waffnen uns, mein Arm soll dich beschützen.
N e u b r u n n. Bei dunkler Nachtzeit?
T h e k l a.                             Nacht wird uns verbergen.
N e u b r u n n. In dieser rauhen Sturmnacht?
T h e k l a.                                   Ward *ihm* sanft
    Gebettet, unter den Hufen seiner Rosse?            3110
N e u b r u n n.
    O Gott! – und dann die vielen Feindesposten!
    Man wird uns nicht durchlassen.
T h e k l a.                         Es sind Menschen,
    Frei geht das Unglück durch die ganze Erde!
N e u b r u n n. Die weite Reise –
T h e k l a.                       Zählt der Pilger Meilen,
    Wenn er zum fernen Gnadenbilde wallt?
N e u b r u n n.
    Die Möglichkeit, aus dieser Stadt zu kommen?
T h e k l a. Gold öffnet uns die Tore. Geh nur, geh!
N e u b r u n n. Wenn man uns kennt?
T h e k l a.                           In einer Flüchtigen,
    Verzweifelnden sucht niemand Friedlands Tochter. 3119
N e u b r u n n. Wo finden wir die Pferde zu der Flucht?
T h e k l a. Mein Kavalier verschafft sie. Geh und ruf ihn.
N e u b r u n n. Wagt er das ohne Wissen seines Herrn?
T h e k l a. Er wird es tun. O geh nur! Zaudre nicht.
N e u b r u n n. Ach! und was wird aus Ihrer Mutter werden,
    Wenn Sie verschwunden sind?

T h e k l a  *(sich besinnend und schmerzvoll vor sich hin-*
    *schauend).*                    O meine Mutter!
N e u b r u n n.  So viel schon leidet sie, die gute Mutter,
    Soll sie auch dieser letzte Schlag noch treffen?
T h e k l a.  Ich kann's Ihr nicht ersparen! – Geh nur, geh.
N e u b r u n n.  Bedenken Sie doch ja wohl, was Sie tun.
T h e k l a.  Bedacht ist schon, was zu bedenken ist.       3130
N e u b r u n n. Und sind wir dort, was soll mit Ihnen werden?
T h e k l a.  Dort wird's ein Gott mir in die Seele geben.
N e u b r u n n.  Ihr Herz ist jetzt voll Unruh, teures Fräulein,
    Das ist der Weg nicht, der zur Ruhe führt.
T h e k l a.  Zur tiefen Ruh, wie er sie auch gefunden.
    – O eile! geh! Mach keine Worte mehr!
    Es zieht mich fort, ich weiß nicht, wie ich's nenne,
    Unwiderstehlich fort zu seinem Grabe!
    Dort wird mir leichter werden, augenblicklich!
    Das herzerstickende Band des Schmerzens wird       3140
    Sich lösen – Meine Tränen werden fließen.
    O geh, wir könnten längst schon auf dem Weg sein.
    Nicht Ruhe find ich, bis ich diesen Mauern
    Entrunnen bin – sie stürzen auf mich ein –
    Fortstoßend treibt mich eine dunkle Macht
    Von dannen – Was ist das für ein Gefühl!
    Es füllen sich mir alle Räume dieses Hauses
    Mit bleichen, hohlen Geisterbildern an –
    Ich habe keinen Platz mehr – Immer neue!
    Es drängt mich das entsetzliche Gewimmel       3150
    Aus diesen Wänden fort, die Lebende!
N e u b r u n n.
    Sie setzen mich in Angst und Schrecken, Fräulein,
    Daß ich nun selber nicht zu bleiben wage.
    Ich geh und rufe gleich den Rosenberg. *(Geht ab.)*

### ZWÖLFTER AUFTRITT

T h e k l a.  Sein Geist ist's, der mich ruft. Es ist die Schar
    Der Treuen, die sich rächend ihm geopfert.
    Unedler Säumnis klagen sie mich an.
    *Sie* wollten auch im Tod nicht von ihm lassen,
    Der ihres Lebens Führer war – Das taten
    Die rohen Herzen, und *ich* sollte leben!       3160
    – Nein! Auch für mich ward jener Lorbeerkranz,

Der deine Totenbahre schmückt, gewunden.
Was ist das Leben ohne Liebesglanz?
Ich werf es hin, da sein Gehalt verschwunden.
Ja, da ich dich, den Liebenden gefunden,
Da *war* das Leben etwas. Glänzend lag
Vor mir der neue goldne Tag!
Mir träumte von zwei himmelschönen Stunden.
    Du standest an dem Eingang in die Welt,
Die ich betrat mit klösterlichem Zagen,        3170
Sie war von tausend Sonnen aufgehellt;
Ein guter Engel schienst du hingestellt,
Mich aus der Kindheit fabelhaften Tagen
Schnell auf des Lebens Gipfel hinzutragen.
Mein erst Empfinden war des Himmels Glück,
In dein *Herz* fiel mein erster Blick! (*Sie sinkt hier in Nach-
denken und fährt dann mit Zeichen des Grauens auf.*)
– Da kommt das Schicksal – Roh und kalt
Faßt es des Freundes zärtliche Gestalt
Und wirft ihn unter den Hufschlag seiner Pferde –
– Das ist das Los des Schönen auf der Erde!       3180


DREIZEHNTER AUFTRITT

*Thekla. Fräulein Neubrunn mit dem Stallmeister.*

N e u b r u n n. Hier ist er, Fräulein, und er will es tun.
T h e k l a. Willst du uns Pferde schaffen, Rosenberg?
S t a l l m e i s t e r. Ich will sie schaffen.
T h e k l a.               Willst du uns begleiten?
S t a l l m e i s t e r. Mein Fräulein, bis ans End' der Welt.
T h e k l a.                      Du kannst
Zum Herzog aber nicht zurück mehr kehren.
S t a l l m e i s t e r. Ich bleib bei Ihnen.
T h e k l a.               Ich will dich belohnen
Und einem andern Herrn empfehlen. Kannst du
Uns aus der Festung bringen unentdeckt?
S t a l l m e i s t e r.
  Ich kann's.
T h e k l a.     Wann kann ich gehn?
S t a l l m e i s t e r.              In dieser Stunde.
– Wo geht die Reise hin?
T h e k l a.            Nach – sag's ihm, Neubrunn! 3190

Neubrunn. Nach Neustadt.
Stallmeister.        Wohl, ich geh, es zu besorgen. *(Ab.)*
Neubrunn. Ach, da kommt Ihre Mutter, Fräulein.
Thekla.                                        Gott!


### VIERZEHNTER AUFTRITT

*Thekla. Neubrunn. Die Herzogin.*

Herzogin. Er ist hinweg, ich finde dich gefaßter.
Thekla. Ich bin es, Mutter – Lassen Sie mich jetzt
  Bald schlafen gehen und die Neubrunn um mich sein.
  Ich brauche Ruh.
Herzogin.        Du sollst sie haben, Thekla.
  Ich geh getröstet weg, da ich den Vater
  Beruhigen kann.
Thekla.           Gut Nacht denn, liebe Mutter. *(Sie fällt
  ihr um den Hals und umarmt sie in großer Bewegung.)*
Herzogin. Du bist noch nicht ganz ruhig, meine Tochter.
  Du zitterst ja so heftig, und dein Herz                    3200
  Klopft hörbar an dem meinen.
Thekla.                        Schlaf wird es
  Besänftigen – Gut Nacht, geliebte Mutter! *(Indem sie aus
  den Armen der Mutter sich losmacht, fällt der Vorhang.)*


## FÜNFTER AUFZUG

*Buttlers Zimmer.*


### ERSTER AUFTRITT

*Buttler. Major Geraldin.*

Buttler. Zwölf rüstige Dragoner sucht Ihr aus,
  Bewaffnet sie mit Piken, denn kein Schuß
  Darf fallen – An dem Eßsaal nebenbei
  Versteckt Ihr sie, und wenn der Nachtisch auf-
  Gesetzt, dringt ihr herein und ruft: Wer ist
  Gut kaiserlich? – Ich will den Tisch umstürzen –
  Dann werft ihr euch auf beide, stoßt sie nieder.

Das Schloß wird wohl verriegelt und bewacht,          3210
Daß kein Gerücht davon zum Fürsten dringe.
Geht jetzt – Habt Ihr nach Hauptmann Deveroux
Und Macdonald geschickt?
G e r a l d i n.                    Gleich sind sie hier. *(Geht ab.)*
B u t t l e r. Kein Aufschub ist zu wagen. Auch die Bürger
Erklären sich für ihn, ich weiß nicht, welch
Ein Schwindelgeist die ganze Stadt ergriffen.
Sie sehn im Herzog einen Friedensfürsten
Und einen Stifter neuer goldner Zeit.
Der Rat hat Waffen ausgeteilt; schon haben
Sich ihrer hundert angeboten, Wache          3220
Bei ihm zu tun. Drum gilt es, schnell zu sein,
Denn Feinde drohn von außen und von innen.


ZWEITER AUFTRITT

*Buttler. Hauptmann Deveroux und Macdonald.*

M a c d o n a l d. Da sind wir, General.
D e v e r o u x.                    Was ist die Losung?
B u t t l e r. Es lebe der Kaiser!
B e i d e *(treten zurück).*          Wie?
B u t t l e r.                    Haus Östreich lebe!
D e v e r o u x.
  Ist's nicht der Friedland, dem wir Treu geschworen?
M a c d o n a l d.
  Sind wir nicht hergeführt, ihn zu beschützen?
B u t t l e r. Wir einen Reichsfeind und Verräter schützen?
D e v e r o u x. Nun ja, du nahmst uns ja für ihn in Pflicht.
M a c d o n a l d. Und bist ihm ja hieher gefolgt nach Eger.
B u t t l e r. Ich tat's, ihn desto sicher zu verderben.          3230
D e v e r o u x. Ja so!
M a c d o n a l d.          Das ist was anders.
B u t t l e r *(zu Deveroux).*                    Elender!
  So leicht entweichst du von der Pflicht und Fahne?
D e v e r o u x.
  Zum Teufel, Herr! Ich folgte deinem Beispiel:
  Kann der ein Schelm sein, dacht' ich, kannst du's auch.
M a c d o n a l d. Wir denken *nicht* nach. Das ist deine Sache!
  Du bist der General und kommandierst,
  Wir folgen dir, und wenn's zur Hölle ginge.

B u t t l e r  *(besänftigt)*. Nun gut! Wir kennen einander.
M a c d o n a l d.                          Ja, das denk ich.
D e v e r o u x. Wir sind Soldaten der Fortuna, wer
  Das meiste bietet, hat uns.
M a c d o n a l d.        Ja, so ist's.                    3240
B u t t l e r. Jetzt sollt ihr ehrliche Soldaten bleiben.
D e v e r o u x. Das sind wir gerne.
B u t t l e r.                    Und Fortüne machen.
M a c d o n a l d. Das ist noch besser.
B u t t l e r.                  Höret an.
B e i d e.                          Wir hören.
B u t t l e r. Es ist des Kaisers Will' und Ordonanz,
  Den Friedland, lebend oder tot, zu fahen.
D e v e r o u x. So steht's im Brief.
M a c d o n a l d.            Ja, lebend oder tot!
B u t t l e r. Und stattliche Belohnung wartet dessen
  An Geld und Gütern, der die Tat vollführt.
D e v e r o u x.
  Es klingt ganz gut. Das Wort klingt immer gut
  Von dorten her. Ja, ja! Wir wissen schon!          3250
  So eine guldne Gnadenkett' etwa,
  Ein krummes Roß, ein Pergament und so was.
  – Der Fürst zahlt besser.
M a c d o n a l d.        Ja, der ist splendid.
B u t t l e r. Mit dem ist's aus. Sein Glücksstern ist gefallen.
M a c d o n a l d. Ist das gewiß?
B u t t l e r.        *Ich* sag's euch.
D e v e r o u x.                    Ist's vorbei
  Mit seinem Glück?
B u t t l e r.      Vorbei auf immerdar.
  Er ist so arm wie wir.
M a c d o n a l d.    So arm wie wir?
D e v e r o u x. Ja, Macdonald, da muß man ihn verlassen!
B u t t l e r. Verlassen ist er schon von zwanzigtausend.
  Wir müssen mehr tun, Landsmann. Kurz und gut!      3260
  – Wir müssen ihn töten.
          *(Beide fahren zurück.)*
B e i d e.            Töten!
B u t t l e r.            Töten, sag ich.
  – Und dazu hab ich euch erlesen.
B e i d e.                  Uns?
B u t t l e r. Euch, Hauptmann Deveroux und Macdonald.

D e v e r o u x  *(nach einer Pause).*
    Wählt einen andern.
M a c d o n a l d.          Ja, wählt einen andern.
B u t t l e r  *(zu Deveroux).*
    Erschreckt's dich, feige Memme? Wie? Du hast
    Schon deine dreißig Seelen auf dir liegen –
D e v e r o u x.  Hand an den Feldherrn legen – das bedenk!
M a c d o n a l d.  Dem wir das Jurament geleistet haben!
B u t t l e r.  Das Jurament ist null mit seiner Treu.
D e v e r o u x.
    Hör, General! Das dünkt mir doch zu gräßlich.          3270
M a c d o n a l d.
    Ja, das ist wahr! Man hat auch ein Gewissen.
D e v e r o u x.
    Wenn's nur der Chef nicht wär', der uns so lang
    Gekommandiert hat und Respekt gefordert.
B u t t l e r.  Ist das der Anstoß?
D e v e r o u x.               Ja! Hör! *Wen* du sonst willst!
    Dem eignen Sohn, wenn's Kaisers Dienst verlangt,
    Will ich das Schwert ins Eingeweide bohren –
    Doch sieh, wir sind Soldaten, und den *Feldherrn*
    *Ermorden*, das ist eine Sünd' und Frevel,
    Davon kein Beichtmönch absolvieren kann.
B u t t l e r.  Ich bin dein Papst und absolviere dich.          3280
    Entschließt euch schnell.
D e v e r o u x  *(steht bedenklich).*  Es geht nicht.
M a c d o n a l d.                         Nein, es geht nicht.
B u t t l e r.
    Nun denn, so geht – und – schickt mir Pestalutzen.
D e v e r o u x  *(stutzt).* Den Pestalutz – Hum!
M a c d o n a l d.               Was willst du mit diesem?
B u t t l e r.  Wenn ihr's verschmäht, es finden sich genug –
D e v e r o u x.  Nein, wenn er fallen muß, so können wir
    Den Preis so gut verdienen als ein andrer.
    – Was denkst du, Bruder Macdonald?
M a c d o n a l d.                    Ja wenn
    Er fallen *muß* und *soll*, und 's *ist* nicht anders,
    So mag ich's diesem Pestalutz nicht gönnen.
D e v e r o u x  *(nach einigem Besinnen).*
    Wann soll er fallen?
B u t t l e r.          Heut, in dieser Nacht,          3290
    Denn morgen stehn die Schweden vor den Toren.

Deveroux. Stehst du mir für die Folgen, General?
Buttler. Ich steh für alles.
Deveroux.                         Ist's des Kaisers Will'?
  Sein netter, runder Will'? Man hat Exempel,
  Daß man den Mord liebt und den Mörder straft.
Buttler. Das Manifest sagt: lebend oder tot.
  Und lebend ist's nicht möglich, seht ihr selbst —
Deveroux.
  Tot also! Tot! — Wie aber kommt man an ihn?
  Die Stadt ist angefüllt mit Terzkyschen.
Macdonald.
  Und dann ist noch der Terzky und der Illo —          3300
Buttler. Mit diesen beiden fängt man an, versteht sich.
Deveroux. Was? Sollen die auch fallen?
Buttler.                              Die zuerst.
Macdonald.
  Hör, Deveroux — das wird ein blut'ger Abend.
Deveroux.
  Hast du schon deinen Mann dazu? Trag's *mir* auf.
Buttler. Dem Major Geraldin ist's übergeben.
  Es ist heut Faßnacht, und ein Essen wird
  Gegeben auf dem Schloß, dort wird man sie
  Bei Tafel überfallen, niederstoßen —
  Der Pestalutz, der Leßley sind dabei —
Deveroux.
  Hör, General! Dir kann es nichts verschlagen.          3310
  Hör — laß mich tauschen mit dem Geraldin.
Buttler. Die kleinere Gefahr ist bei dem Herzog.
Deveroux.
  Gefahr! Was, Teufel! denkst du von mir, Herr?
  Des Herzogs Aug', nicht seinen Degen fürcht ich.
Buttler. Was kann sein Aug' dir schaden?
Deveroux.                              Alle Teufel!
  Du kennst mich, daß ich keine Memme bin.
  Doch sieh, es sind noch nicht acht Tag', daß mir
  Der Herzog zwanzig Goldstück reichen lassen
  Zu diesem warmen Rock, den ich hier anhab —
  Und wenn er mich nun mit der Pike sieht          3320
  Dastehn, mir auf den Rock sieht — sieh — so — so —
  Der Teufel hol mich! ich bin keine Memme.
Buttler. Der Herzog gab dir diesen warmen Rock,
  Und du, ein armer Wicht, bedenkst dich, ihm

Dafür den Degen durch den Leib zu rennen.
Und einen Rock, der noch viel wärmer hält,
Hing *ihm* der *Kaiser* um, den Fürstenmantel.
Wie dankt er's ihm? Mit Aufruhr und Verrat.
D e v e r o u x.
Das ist auch wahr. Den Danker hol der Teufel!
Ich – bring ihn um.
B u t t l e r.                     Und willst du dein Gewissen     3330
Beruhigen, darfst du den Rock nur ausziehn,
So kannst du's frisch und wohlgemut vollbringen.
M a c d o n a l d. Ja! da ist aber noch was zu bedenken –
B u t t l e r. Was gibt's noch zu bedenken, Macdonald?
M a c d o n a l d. Was hilft uns Wehr und Waffe wider *den*?
Er ist nicht zu verwunden, er ist *fest*.
B u t t l e r *(fährt auf)*. Was wird er –
M a c d o n a l d.                     Gegen Schuß und Hieb! Er ist
*Gefroren*, mit der Teufelskunst behaftet,
Sein Leib ist undurchdringlich, sag ich dir.
D e v e r o u x. Ja, ja! In Ingolstadt war auch so einer,     3340
Dem war die Haut so fest wie Stahl, man mußt' ihn
Zuletzt mit Flintenkolben niederschlagen.
M a c d o n a l d. Hört, was ich tun will!
D e v e r o u x.                     Sprich!
M a c d o n a l d.                               Ich kenne hier
Im Kloster einen Bruder Dominikaner
Aus unsrer Landsmannschaft, der soll mir Schwert
Und Pike tauchen in geweihtes Wasser
Und einen kräft'gen Segen drüber sprechen,
Das ist bewährt, hilft gegen jeden Bann.
B u t t l e r. Das tue, Macdonald. Jetzt aber geht.
Wählt aus dem Regimente zwanzig, dreißig     3350
Handfeste Kerls, laßt sie dem Kaiser schwören –
Wenn's eilf geschlagen – wenn die ersten Runden
Passiert sind, führt ihr sie in aller Stille
Dem Hause zu – Ich werde selbst nicht weit sein.
D e v e r o u x.
Wie kommen wir durch die Hartschiers und Garden,
Die in dem innern Hofraum Wache stehn?
B u t t l e r. Ich hab des Orts Gelegenheit erkundigt.
Durch eine hintre Pforte führ ich euch,
Die nur durch *einen* Mann verteidigt wird.
Mir gibt mein Rang und Amt zu jeder Stunde     3360

Einlaß beim Herzog. Ich will euch vorangehn,
Und schnell mit einem Dolchstoß in die Kehle
Durchbohr ich den Hartschier und mach euch Bahn.

D e v e r o u x.  Und sind wir oben, wie erreichen wir
Das Schlafgemach des Fürsten, ohne daß
Das Hofgesind' erwacht und Lärmen ruft?
Denn er ist hier mit großem Komitat.

B u t t l e r.  Die Dienerschaft ist auf dem rechten Flügel,
Er haßt Geräusch, wohnt auf dem linken ganz allein.

D e v e r o u x.  Wär's nur vorüber, Macdonald – Mir ist 3370
Seltsam dabei zumute, weiß der Teufel.

M a c d o n a l d.  Mir auch. Es ist ein gar zu großes Haupt.
Man wird uns für zwei Bösewichter halten.

B u t t l e r.  In Glanz und Ehr' und Überfluß könnt ihr
Der Menschen Urteil und Gered' verlachen.

D e v e r o u x.
Wenn's mit der Ehr' nur auch so recht gewiß ist.

B u t t l e r.  Seid unbesorgt. Ihr rettet Kron' und Reich
Dem Ferdinand. Der Lohn kann nicht gering sein.

D e v e r o u x.  So ist's sein Zweck, den Kaiser zu entthronen?

B u t t l e r.  Das ist er! Kron' und Leben ihm zu rauben! 3380

D e v e r o u x.  So müßt' er fallen durch des Henkers Hand,
Wenn wir nach Wien lebendig ihn geliefert?

B u t t l e r. Dies Schicksal könnt' er nimmermehr vermeiden.

D e v e r o u x.
Komm, Macdonald! Er soll als Feldherr enden
Und ehrlich fallen von Soldatenhänden.
(*Sie gehen ab.*)


### DRITTER AUFTRITT

*Ein Saal, aus dem man in eine Galerie gelangt, die sich weit
nach hinten verliert.*

*Wallenstein sitzt an einem Tisch. Der schwedische Haupt-
mann steht vor ihm. Bald darauf Gräfin Terzky.*

W a l l e n s t e i n.
Empfehlt mich Eurem Herrn. Ich nehme teil
An seinem guten Glück, und wenn Ihr mich
So viele Freude nicht bezeigen seht,
Als diese Siegespost verdienen mag,

So glaubt, es ist nicht Mangel guten Willens,                 3390
Denn unser Glück ist nunmehr eins. Lebt wohl!
Nehmt meinen Dank für Eure Müh. Die Festung
Soll sich euch auftun morgen, wenn ihr kommt.

(*Schwedischer Hauptmann geht ab. Wallenstein sitzt in tiefen Gedanken, starr vor sich hinsehend, den Kopf in die Hand gesenkt. Gräfin Terzky tritt herein und steht eine Zeitlang vor ihm unbemerkt, endlich macht er eine rasche Bewegung, erblickt sie und faßt sich schnell.*)

Kommst du von ihr? Erholt sie sich? Was macht sie?
G r ä f i n. Sie soll gefaßter sein nach dem Gespräch,
Sagt mir die Schwester – Jetzt ist sie zu Bette.
W a l l e n s t e i n.
Ihr Schmerz wird sanfter werden. Sie wird weinen.
G r ä f i n. Auch dich, mein Bruder, find ich nicht wie sonst.
Nach einem Sieg erwartet' ich dich heitrer.
O bleibe stark! Erhalte du uns aufrecht,          3400
Denn du bist unser Licht und unsre Sonne.
W a l l e n s t e i n.
Sei ruhig. Mir ist nichts – Wo ist dein Mann?
G r ä f i n. Zu einem Gastmahl sind sie, er und Illo.
W a l l e n s t e i n (*steht auf und macht einige Schritte durch den Saal*).
Es ist schon finstre Nacht – Geh auf dein Zimmer.
G r ä f i n. Heiß mich nicht gehn, o laß mich um dich bleiben.
W a l l e n s t e i n (*ist ans Fenster getreten*).
Am Himmel ist geschäftige Bewegung,
Des Turmes Fahne jagt der Wind, schnell geht
Der Wolken Zug, die Mondessichel wankt,
Und durch die Nacht zuckt ungewisse Helle.
– Kein Sternbild ist zu sehn! Der matte Schein dort, 3410
Der einzelne, ist aus der Kassiopeia,
Und dahin steht der Jupiter – Doch jetzt
Deckt ihn die Schwärze des Gewitterhimmels!
(*Er versinkt in Tiefsinn und sieht starr hinaus.*)
G r ä f i n (*die ihm traurig zusieht, faßt ihn bei der Hand*).
Was sinnst du?
W a l l e n s t e i n.
Mir deucht, wenn ich ihn sähe, wär' mir wohl.
Es ist der Stern, der meinem Leben strahlt,
Und wunderbar oft stärkte mich sein Anblick.
(*Pause.*)

G r ä f i n. Du wirst ihn wiedersehn.
W a l l e n s t e i n *(ist wieder in eine tiefe Zerstreuung ge-*
  *fallen, er ermuntert sich und wendet sich schnell zur*
  *Gräfin).* Ihn wiedersehn? – O niemals wieder!
G r ä f i n.                                        Wie?
W a l l e n s t e i n. Er ist dahin – ist Staub!
G r ä f i n.                        Wen meinst du denn? 3420
W a l l e n s t e i n. Er ist der Glückliche. Er hat vollendet.
  Für ihn ist keine Zukunft mehr, ihm spinnt
  Das Schicksal keine Tücke mehr – sein Leben
  Liegt faltenlos und leuchtend ausgebreitet,
  Kein dunkler Flecken blieb darin zurück,
  Und unglückbringend pocht ihm keine Stunde.
  Weg ist er über Wunsch und Furcht, gehört
  Nicht mehr den trüglich wankenden Planeten –
  O ihm ist wohl! Wer aber weiß, was uns
  Die nächste Stunde schwarz verschleiert bringt!          3430
G r ä f i n. Du sprichst von Piccolomini. Wie starb er?
  Der Bote ging just von dir, als ich kam.
  *(Wallenstein bedeutet sie mit der Hand, zu schweigen.)*
  O wende deine Blicke nicht zurück!
  Vorwärts in hellre Tage laß uns schauen.
  Freu dich des Siegs, vergiß, was er dir kostet.
  Nicht heute erst ward dir der Freund geraubt;
  Als er sich von dir schied, da starb er dir.
W a l l e n s t e i n.
  Verschmerzen werd ich diesen Schlag, das weiß ich,
  Denn was verschmerzte nicht der Mensch! Vom Höchsten
  Wie vom Gemeinsten lernt er sich entwöhnen,          3440
  Denn ihn besiegen die gewalt'gen Stunden.
  Doch fühl ich's wohl, was ich in ihm verlor.
  Die Blume ist hinweg aus meinem Leben,
  Und kalt und farblos seh ich's vor mir liegen.
  Denn *er* stand neben mir wie meine Jugend,
  Er machte mir das Wirkliche zum Traum,
  Um die gemeine Deutlichkeit der Dinge
  Den goldnen Duft der Morgenröte webend –
  Im Feuer seines liebenden Gefühls
  Erhoben sich, mir selber zum Erstaunen,          3450
  Des Lebens flach alltägliche Gestalten.
  – Was ich mir ferner auch erstreben mag,
  Das Schöne ist doch weg, das kommt nicht wieder,

Denn über alles Glück geht doch der Freund,
Der's fühlend erst erschafft, der's teilend mehrt.
G r ä f i n.  Verzag nicht an der eignen Kraft. Dein Herz
Ist reich genug, sich selber zu beleben.
Du liebst und preisest Tugenden an ihm,
Die du in ihm gepflanzt, in ihm entfaltet.
W a l l e n s t e i n *(an die Türe gehend).*
Wer stört uns noch in später Nacht? – Es ist              3460
Der Kommendant. Er bringt die Festungsschlüssel.
Verlaß uns, Schwester, Mitternacht ist da.
G r ä f i n.  O mir wird heut so schwer, von dir zu gehn,
Und bange Furcht bewegt mich.
W a l l e n s t e i n.                      Furcht! Wovor?
G r ä f i n. Du möchtest schnell wegreisen diese Nacht,
Und beim Erwachen fänden wir dich nimmer.
W a l l e n s t e i n. Einbildungen.
G r ä f i n.                      O meine Seele wird
Schon lang von trüben Ahnungen geängstigt,
Und wenn ich wachend sie bekämpfe, sie fallen
Mein banges Herz in düstern Träumen an.              3470
– Ich sah dich gestern nacht mit deiner ersten
Gemahlin, reich geputzt, zu Tische sitzen –
W a l l e n s t e i n.
Das ist ein Traum erwünschter Vorbedeutung,
Denn jene Heirat stiftete mein Glück.
G r ä f i n. Und heute träumte mir, ich suchte dich
In deinem Zimmer auf – Wie ich hineintrat,
So war's dein Zimmer nicht mehr, die Kartause
Zu Gitschin war's, die du gestiftet hast
Und wo du willst, daß man dich hin begrabe.
W a l l e n s t e i n.
Dein Geist ist nun einmal damit beschäftigt.              3480
G r ä f i n. Wie? Glaubst du nicht, daß eine Warnungsstimme
In Träumen vorbedeutend zu uns spricht?
W a l l e n s t e i n.
Dergleichen Stimmen gibt's – Es ist kein Zweifel!
Doch Warnungsstimmen möcht' ich *sie* nicht nennen,
Die nur das *Unvermeidliche* verkünden.
Wie sich der Sonne Scheinbild in dem Dunstkreis
Malt, eh' sie kommt, so schreiten auch den großen
Geschicken ihre Geister schon voran,
Und in dem Heute wandelt schon das Morgen.

Es machte mir stets eigene Gedanken,                    3490
Was man vom Tod des vierten Heinrichs liest.
Der König fühlte das Gespenst des Messers
Lang vorher in der Brust, eh' sich der Mörder
Ravaillac damit waffnete. Ihn floh
Die Ruh', es jagt' ihn auf in seinem Louvre,
Ins Freie trieb es ihn; wie Leichenfeier
Klang ihm der Gattin Krönungsfest, er hörte
Im ahnungsvollen Ohr der Füße Tritt,
Die durch die Gassen von Paris ihn suchten –
G r ä f i n.  Sagt dir die innre Ahnungsstimme nichts?    3500
W a l l e n s t e i n.  Nichts. Sei ganz ruhig!
G r ä f i n  *(in düstres Nachsinnen verloren).*

                            Und ein andermal,
Als ich dir eilend nachging, liefst du vor mir
Durch einen langen Gang, durch weite Säle,
Es wollte gar nicht enden – Türen schlugen
Zusammen, krachend – keuchend folgt' ich, konnte
Dich nicht erreichen – plötzlich fühlt' ich mich
Von hinten angefaßt mit kalter Hand,
*Du* warst's und küßtest mich, und über uns
Schien eine rote Decke sich zu legen –
W a l l e n s t e i n.
Das ist der rote Teppich meines Zimmers.                 3510
G r ä f i n  *(ihn betrachtend).*
Wenn's dahin sollte kommen – Wenn ich dich,
Der jetzt in Lebensfülle vor mir steht –
*(Sie sinkt ihm weinend an die Brust.)*
W a l l e n s t e i n.
Des Kaisers Achtsbrief ängstigt dich. Buchstaben
Verwunden nicht, er findet keine Hände.
G r ä f i n.  Fänd' er sie aber, dann ist mein Entschluß
Gefaßt – ich führe bei mir, was mich tröstet. *(Geht ab.)*


### VIERTER AUFTRITT

*Wallenstein. Gordon. Dann der Kammerdiener.*

W a l l e n s t e i n.  Ist's ruhig in der Stadt?
G o r d o n.                              Die Stadt ist ruhig.
W a l l e n s t e i n.  Ich höre rauschende Musik, das Schloß ist
Von Lichtern hell. Wer sind die Fröhlichen?

Gordon.
Dem Grafen Terzky und dem Feldmarschall 3520
Wird ein Bankett gegeben auf dem Schloß.
Wallenstein *(vor sich).*
Es ist des Sieges wegen – Dies Geschlecht
Kann sich nicht anders freuen als bei Tisch.
           *(Klingelt. Kammerdiener tritt ein.)*
Entkleide mich, ich will mich schlafen legen.
*(Er nimmt die Schlüssel zu sich.)*
So sind wir denn vor jedem Feind bewahrt
Und mit den sichern Freunden eingeschlossen;
Denn alles müßt' mich trügen, oder ein
Gesicht wie dies *(auf Gordon schauend)*
           ist keines Heuchlers Larve.
*(Kammerdiener hat ihm den Mantel, Ringkragen und die
           Feldbinde abgenommen.)*
Gib acht! Was fällt da?
Kammerdiener.
Die goldne Kette ist entzweigesprungen. 3530
Wallenstein. Nun, sie hat lang genug gehalten. Gib.
*(Indem er die Kette betrachtet.)*
Das war des Kaisers *erste* Gunst. Er hing sie
Als Erzherzog mir um, im Krieg von Friaul,
Und aus Gewohnheit trug ich sie bis heut.
– Aus Aberglauben, wenn Ihr wollt. Sie sollte
Ein Talisman mir sein, so lang ich sie
An meinem Halse glaubig würde tragen,
Das flücht'ge Glück, des erste Gunst sie war,
Mir auf zeitlebens binden – Nun es sei!
Mir muß fortan ein neues Glück beginnen, 3540
Denn dieses Bannes Kraft ist aus.
*(Kammerdiener entfernt sich mit den Kleidern. Wallenstein
steht auf, macht einen Gang durch den Saal und bleibt zu-
letzt nachdenkend vor Gordon stehen.)*
Wie doch die alte Zeit mir näher kommt.
Ich seh mich wieder an dem Hof zu Burgau,
Wo wir zusammen Edelknaben waren.
Wir hatten öfters Streit, du meintest's gut
Und pflegtest gern den Sittenprediger
Zu machen, schaltest mich, daß ich nach hohen Dingen
Unmäßig strebte, kühnen Träumen glaubend,
Und priesest mir den goldnen Mittelweg.

   – Ei, deine Weisheit hat sich schlecht bewährt,    3550
   Sie hat dich früh zum abgelebten Manne
   Gemacht und würde dich, wenn ich mit meinen
   Großmüt'gern Sternen nicht dazwischenträte,
   Im schlechten Winkel still verlöschen lassen.
Gordon.
   Mein Fürst! Mit leichtem Mute knüpft der arme Fischer
   Den kleinen Nachen an im sichern Port,
   Sieht er im Sturm das große Meerschiff stranden.
Wallenstein. So bist du schon im Hafen, alter Mann?
   Ich nicht. Es treibt der ungeschwächte Mut
   Noch frisch und herrlich auf der Lebenswoge,    3560
   Die Hoffnung nenn ich meine Göttin noch,
   Ein Jüngling ist der Geist, und seh ich mich
   *Dir* gegenüber, ja, so möcht' ich rühmend sagen,
   Daß über meinem braunen Scheitelhaar
   Die schnellen Jahre machtlos hingegangen.
   *(Er geht mit großen Schritten durchs Zimmer und bleibt*
   *auf der entgegengesetzten Seite, Gordon gegenüber,*
   *stehen.)*
   Wer nennt das Glück noch falsch? Mir war es treu,
   Hob aus der Menschen Reihen mich heraus
   Mit Liebe, durch des Lebens Stufen mich
   Mit kraftvoll leichten Götterarmen tragend.
   Nichts ist gemein in meines Schicksals Wegen    3570
   Noch in den Furchen meiner Hand. Wer möchte
   Mein Leben mir nach Menschenweise deuten?
   Zwar jetzo schein ich tief herabgestürzt,
   Doch werd ich wieder steigen, hohe Flut
   Wird bald auf diese Ebbe schwellend folgen –
Gordon. Und doch erinner' ich an den alten Spruch:
   Man soll den Tag nicht vor dem Abend loben.
   Nicht Hoffnung möcht' ich schöpfen aus dem langen Glück,
   Dem Unglück ist die Hoffnung zugesendet.
   Furcht soll das Haupt des Glücklichen umschweben,    3580
   Denn ewig wanket des Geschickes Waage.
Wallenstein *(lächelnd)*.
   Den alten Gordon hör ich wieder sprechen.
   – Wohl weiß ich, daß die ird'schen Dinge wechseln,
   Die bösen Götter fordern ihren Zoll:
   Das wußten schon die alten Heidenvölker,
   Drum wählten sie sich selbst freiwill'ges Unheil,

Die eifersücht'ge Gottheit zu versöhnen,
Und Menschenopfer bluteten dem Typhon.
*(Nach einer Pause, ernst und stiller.)*
Auch ich hab ihm geopfert – Denn mir fiel
Der liebste Freund, und fiel durch meine Schuld.          3590
So kann mich keines Glückes Gunst mehr freuen,
Als dieser Schlag mich hat geschmerzt – Der Neid
Des Schicksals ist gesättigt, es nimmt Leben
Für Leben an, und abgeleitet ist
Auf das geliebte reine Haupt der Blitz,
Der mich zerschmetternd sollte niederschlagen.


FÜNFTER AUFTRITT

*Vorige. Seni.*

Wallenstein.
    Kommt da nicht Seni? Und wie außer sich!
    Was führt dich noch so spät hieher, Baptist?
Seni. Furcht deinetwegen, Hoheit.
Wallenstein.                          Sag, was gibt's?
Seni. Flieh, Hoheit, eh' der Tag anbricht. Vertraue dich
    Den Schwedischen nicht an.
Wallenstein.                          Was fällt dir ein?          3601
Seni *(mit steigendem Ton)*.
    Vertrau dich diesen Schweden nicht!
Wallenstein.                               Was ist's denn?
Seni. Erwarte nicht die Ankunft dieser Schweden!
    Von falschen Freunden droht dir nahes Unheil,
    Die Zeichen stehen grausenhaft, nah, nahe
    Umgeben dich die Netze des Verderbens.
Wallenstein.
    Du träumst, Baptist, die Furcht betöret dich.
Seni. O glaube nicht, daß leere Furcht mich täusche.
    Komm, lies es selbst in dem Planetenstand,
    Daß Unglück dir von falschen Freunden droht.          3610
Wallenstein.
    Von falschen Freunden stammt mein ganzes Unglück.
    Die Weisung hätte früher kommen sollen,
    Jetzt brauch ich keine Sterne mehr dazu.
Seni. O komm und sieh! Glaub deinen eignen Augen.
    Ein greulich Zeichen steht im Haus des Lebens,

Ein naher Feind, ein Unhold lauert hinter
Den Strahlen deines Sterns – O laß dich warnen!
Nicht diesen Heiden überliefre dich,
Die Krieg mit unsrer heil'gen Kirche führen.

Wallenstein (*lächelnd*).
  Schallt das Orakel *daher*? – Ja! Ja! Nun          3620
  Besinn' ich mich – Dies schwed'sche Bündnis hat
  Dir nie gefallen wollen – Leg dich schlafen,
  Baptista! Solche Zeichen fürcht ich nicht.

Gordon (*der durch diese Reden heftig erschüttert wor-
den, wendet sich zu Wallenstein*).
  Mein fürstlicher Gebieter! Darf ich reden?
  Oft kommt ein nützlich Wort aus schlechtem Munde.

Wallenstein. Sprich frei!

Gordon.
  Mein Fürst! Wenn's doch kein leeres Furchtbild wäre,
  Wenn Gottes Vorsehung sich *dieses* Mundes
  Zu Ihrer Rettung wunderbar bediente!

Wallenstein.
  Ihr sprecht im Fieber, einer wie der andre.          3630
  Wie kann mir Unglück kommen von den Schweden?
  Sie suchten meinen Bund, er ist ihr Vorteil.

Gordon. Wenn dennoch eben dieser Schweden Ankunft –
  Gerade die es wär', die das Verderben
  Beflügelte auf Ihr so sichres Haupt –
  (*vor ihm niederstürzend*)
  O noch ist's Zeit, mein Fürst –

Seni (*kniet nieder*).          O hör ihn! hör ihn!

Wallenstein.
  Zeit, und wozu? Steht auf – Ich will's, steht auf.

Gordon (*steht auf*).
  Der Rheingraf ist noch fern. Gebieten Sie,
  Und diese Festung soll sich ihm verschließen.
  Will er uns dann belagern, er versuch's.          3640
  Doch sag ich dies: Verderben wird er eher
  Mit seinem ganzen Volk vor diesen Wällen,
  Als unsres Mutes Tapferkeit ermüden.
  Erfahren soll er, was ein Heldenhaufe
  Vermag, beseelt von einem Heldenführer,
  Dem's Ernst ist, seinen Fehler gutzumachen.
  Das wird den Kaiser rühren und versöhnen,
  Denn gern zur Milde wendet sich sein Herz,

Und Friedland, der bereuend wiederkehrt,
Wird höher stehn in seines Kaisers Gnade, 3650
Als je der Niegefallne hat gestanden.

W a l l e n s t e i n *(betrachtet ihn mit Befremdung und Er-
staunen und schweigt eine Zeitlang, eine starke innre Be-
wegung zeigend).*
Gordon – des Eifers Wärme führt Euch weit,
Es darf der Jugendfreund sich was erlauben.
– Blut ist geflossen, Gordon. Nimmer kann
Der Kaiser mir vergeben. Könnt' er's, ich,
Ich könnte nimmer mir vergeben lassen.
Hätt' ich vorher gewußt, was nun geschehn,
Daß es den liebsten Freund mir würde kosten,
Und hätte mir das Herz wie jetzt gesprochen –
Kann sein, ich hätte mich bedacht – kann sein 3660
Auch nicht – Doch was nun schonen noch? Zu ernsthaft
Hat's angefangen, um in nichts zu enden.
Hab' es denn seinen Lauf! *(Indem er ans Fenster tritt.)*
Sieh, es ist Nacht geworden, auf dem Schloß
Ist's auch schon stille – Leuchte, Kämmerling.
*(Kammerdiener, der unterdessen still eingetreten und mit
sichtbarem Anteil in der Ferne gestanden, tritt hervor, heftig
bewegt, und stürzt sich zu des Herzogs Füßen.)*
Du auch noch? Doch ich weiß es ja, warum
*Du* meinen Frieden wünschest mit dem Kaiser.
Der arme Mensch! Er hat im Kärntnerland
Ein kleines Gut und sorgt, sie nehmen's ihm,
Weil er bei *mir* ist. Bin ich denn so arm, 3670
Daß ich den Dienern nicht ersetzen kann?
Nun! Ich will niemand zwingen. Wenn du meinst,
Daß mich das Glück geflohen, so verlaß mich.
Heut magst du mich zum letztenmal entkleiden
Und dann zu deinem Kaiser übergehn –
Gut Nacht, Gordon!
Ich denke einen langen Schlaf zu tun,
Denn dieser letzten Tage Qual war groß.
Sorgt, daß sie nicht zu zeitig mich erwecken.
*(Er geht ab. Kammerdiener leuchtet. Seni folgt. Gordon
bleibt in der Dunkelheit stehen, dem Herzog mit den Augen
folgend, bis er in dem äußersten Gang verschwunden ist;
dann drückt er durch Gebärden seinen Schmerz aus und
lehnt sich gramvoll an eine Säule.)*

SECHSTER AUFTRITT

*Gordon. Buttler, anfangs hinter der Szene.*

B u t t l e r. Hier stehet still, bis ich das Zeichen gebe.        3680
G o r d o n *(fährt auf)*.
   Er ist's, er bringt die Mörder schon.
B u t t l e r.                                Die Lichter
   Sind aus. In tiefem Schlafe liegt schon alles.
G o r d o n. Was soll ich tun? Versuch ich's, ihn zu retten?
   Bring ich das Haus, die Wachen in Bewegung?
B u t t l e r *(erscheint hinten)*.
   Vom Korridor her schimmert Licht. Das führt
   Zum Schlafgemach des Fürsten.
G o r d o n.                            Aber brech ich
   Nicht meinen Eid dem Kaiser? Und entkommt er,
   Des Feindes Macht verstärkend, lad ich nicht
   Auf mein Haupt alle fürchterlichen Folgen?
B u t t l e r *(etwas näher kommend)*.
   Still! Horch! Wer spricht da?
G o r d o n.                      Ach, es ist doch besser,        3690
   Ich stell's dem Himmel heim. Denn was bin ich,
   Daß ich so großer Tat mich unterfinge?
   *Ich* hab ihn nicht ermordet, wenn er umkommt,
   Doch seine Rettung wäre *meine* Tat,
   Und jede schwere Folge müßt' ich tragen.
B u t t l e r *(herzutretend)*.
   Die Stimme kenn ich.
G o r d o n.                Buttler!
B u t t l e r.                          Es ist Gordon.
   Was sucht Ihr hier? Entließ der Herzog Euch
   So spät?
G o r d o n.   Ihr tragt die Hand in einer Binde?
B u t t l e r. Sie ist verwundet. Dieser Illo focht
   Wie ein Verzweifelter, bis wir ihn endlich        3700
   Zu Boden streckten –
G o r d o n *(schauert zusammen)*.
                          Sie sind tot!
B u t t l e r.                              Es ist geschehn.
   – Ist er zu Bett?
G o r d o n.        Ach Buttler!
B u t t l e r *(dringend)*.          Ist er? Sprecht!
   Nicht lange kann die Tat verborgen bleiben.

G o r d o n.
　Er soll *nicht* sterben. Nicht durch Euch! Der Himmel
　Will Euren Arm nicht. Seht, er ist verwundet.
B u t t l e r.  Nicht *meines* Armes braucht's.
G o r d o n.                         Die Schuldigen
　Sind tot; genug ist der Gerechtigkeit
　Geschehn! Laßt dieses Opfer sie versöhnen!
*(Kammerdiener kommt den Gang her, mit dem Finger auf*
*      dem Mund Stillschweigen gebietend.)*
　Er schläft! O mordet nicht den heil'gen Schlaf!
B u t t l e r.  Nein, er soll wachend sterben. *(Will gehen.)*
G o r d o n.                    Ach, sein Herz ist noch 3710
　Den ird'schen Dingen zugewendet, nicht
　Gefaßt ist er, vor seinen Gott zu treten.
B u t t l e r.  Gott ist barmherzig! *(Will gehen.)*
G o r d o n *(hält ihn).*      Nur die Nacht noch gönnt ihm.
B u t t l e r.  Der nächste Augenblick kann uns verraten.
　*(Will fort.)*
G o r d o n *(hält ihn).* Nur eine Stunde!
B u t t l e r.                   Laßt mich los! Was kann
　Die kurze Frist ihm helfen?
G o r d o n.                    O die Zeit ist
　Ein wundertät'ger Gott. In einer Stunde rinnen
　Viel tausend Körner Sandes, schnell wie sie
　Bewegen sich im Menschen die Gedanken.
　Nur eine Stunde! *Euer* Herz kann sich,           3720
　Das *seinige* sich wenden – Eine Nachricht
　Kann kommen – ein beglückendes Ereignis
　Entscheidend, rettend, schnell vom Himmel fallen –
　O was vermag nicht eine Stunde!
B u t t l e r.                   Ihr erinnert mich,
　Wie kostbar die Minuten sind. *(Er stampft auf den Boden.)*


## SIEBENTER AUFTRITT

*Macdonald, Deveroux mit Hellebardierern treten hervor.*
*          Dann Kammerdiener. Vorige.*

G o r d o n *(sich zwischen ihn und jene werfend).*
　　　　　　　　　　　Nein, Unmensch!
　Erst über meinen Leichnam sollst du hingehn,
　Denn nicht will ich das Gräßliche erleben.

B u t t l e r *(ihn wegdrängend).*
    Schwachsinn'ger Alter!
                *(Man hört Trompeten in der Ferne.)*
M a c d o n a l d und D e v e r o u x.
                        Schwedische Trompeten!
    Die Schweden stehn vor Eger! Laßt uns eilen!
G o r d o n. Gott! Gott!
B u t t l e r.            An Euren Posten, Kommendant! 3730
                *(Gordon stürzt hinaus.)*
K a m m e r d i e n e r *(eilt herein).*
    Wer darf hier lärmen? Still, der Herzog schläft!
D e v e r o u x *(mit lauter, fürchterlicher Stimme).*
    Freund! Jetzt ist's Zeit, zu lärmen!
K a m m e r d i e n e r *(Geschrei erhebend).*
                        Hilfe! Mörder!

B u t t l e r. Nieder mit ihm!
K a m m e r d i e n e r *(von Deveroux durchbohrt, stürzt am
    Eingang der Galerie).*      Jesus Maria!
B u t t l e r.              Sprengt die Türen!
*(Sie schreiten über den Leichnam weg den Gang hin. Man
hört in der Ferne zwei Türen nach einander stürzen –
Dumpfe Stimmen – Waffengetöse – dann plötzlich tiefe
Stille.)*


ACHTER AUFTRITT

G r ä f i n   T e r z k y *(mit einem Lichte).*
    Ihr Schlafgemach ist leer, und sie ist nirgends
    Zu finden, auch die Neubrunn wird vermißt,
    Die bei ihr wachte – Wäre sie entflohn?
    Wo kann sie hingeflohen sein! Man muß
    Nacheilen, alles in Bewegung setzen!
    Wie wird der Herzog diese Schreckenspost
    Aufnehmen! – Wäre nur mein Mann zurück      3740
    Vom Gastmahl! Ob der Herzog wohl noch wach ist?
    Mir war's, als hört' ich Stimmen hier und Tritte.
    Ich will doch hingehn, an der Türe lauschen.
    Horch! wer ist das? Es eilt die Trepp' herauf.

NEUNTER AUFTRITT

*Gräfin. Gordon. Dann Buttler.*

G o r d o n *(eilfertig, atemlos hereinstürzend).*
  Es ist ein Irrtum – es sind nicht die Schweden.
  Ihr sollt nicht weitergehen – Buttler – Gott!
  Wo ist er?
  *(Indem er die Gräfin bemerkt.)*    Gräfin, sagen Sie –
G r ä f i n.  Sie kommen von der Burg? Wo ist mein Mann?
G o r d o n *(entsetzt).*
  Ihr Mann! – O fragen Sie nicht! Gehen Sie
  Hinein – *(Will fort.)*
G r ä f i n *(hält ihn).*    Nicht eher, bis Sie mir entdecken –
G o r d o n *(heftig dringend).*
  An diesem Augenblicke hängt die Welt!                3751
  Um Gotteswillen, gehen Sie – Indem
  Wir sprechen – Gott im Himmel!
  *(Laut schreiend.)*                    Buttler! Buttler!
G r ä f i n.  Der ist ja auf dem Schloß mit meinem Mann.
  *(Buttler kommt aus der Galerie.)*
G o r d o n *(der ihn erblickt).*
  Es war ein Irrtum – Es sind nicht die Schweden –
  Die Kaiserlichen sind's, die eingedrungen –
  Der Generalleutnant schickt mich her, er wird
  Gleich selbst hier sein – Ihr sollt nicht weiter gehn –
B u t t l e r.  Er kommt zu spät.
G o r d o n *(stürzt an die Mauer).*    Gott der Barmherzigkeit!
G r ä f i n *(ahnungsvoll).*
  Was ist zu spät? Wer wird gleich selbst hier sein?        3760
  Octavio in Eger eingedrungen?
  Verräterei! Verräterei! Wo ist
  Der Herzog? *(Eilt dem Gange zu.)*


ZEHNTER AUFTRITT

*Vorige. Seni. Dann Bürgermeister. Page. Kammerfrau. Be-*
    *diente rennen schreckensvoll über die Szene.*

S e n i *(der mit allen Zeichen des Schreckens aus der Galerie*
  *kommt).* O blutige, entsetzensvolle Tat!
G r ä f i n.                    Was ist
  Geschehen, Seni?

P a g e *(herauskommend).*
                    O erbarmungswürd'ger Anblick!
                    *(Bediente mit Fackeln.)*
G r ä f i n.  Was ist's? Um Gotteswillen!
S e n i.                              Fragt Ihr noch?
    Drinn' liegt der Fürst ermordet, Euer Mann ist
    Erstochen auf der Burg.
                    *(Gräfin bleibt erstarrt stehen.)*
K a m m e r f r a u *(eilt herein).*
    Hilf'! Hilf' der Herzogin!
B ü r g e r m e i s t e r *(kommt schreckenvoll).*
                              Was für ein Ruf
    Des Jammers weckt die Schläfer dieses Hauses?          3770
G o r d o n.  Verflucht ist Euer Haus auf ew'ge Tage!
    In Eurem Hause liegt der Fürst ermordet.
B ü r g e r m e i s t e r.
    Das wolle Gott nicht! *(Stürzt hinaus.)*
E r s t e r  B e d i e n t e r.   Flieht! Flieht! Sie ermorden
    Uns alle!
Z w e i t e r  B e d i e n t e r *(Silbergerät tragend).*
                    Da hinaus. Die untern Gänge sind besetzt.
                    *(Hinter der Szene wird gerufen:)*
    Platz! Platz dem Generalleutnant!
*(Bei diesen Worten richtet sich die Gräfin aus ihrer Erstar-*
            *rung auf, faßt sich und geht schnell ab.)*
                    *(Hinter der Szene:)*
    Besetzt das Tor! Das Volk zurückgehalten!


ELFTER AUFTRITT

*Vorige ohne die Gräfin. Octavio Piccolomini tritt herein*
*mit Gefolge. Deveroux und Macdonald kommen zugleich*
*aus dem Hintergrunde mit Hellebardierern. Wallensteins*
*Leichnam wird in einem roten Teppich hinten über die Szene*
                    *getragen.*

O c t a v i o *(rasch eintretend).*
    Es darf nicht sein! Es ist nicht möglich! Buttler!
    Gordon! Ich will's nicht glauben. Saget nein.
G o r d o n *(ohne zu antworten, weist mit der Hand nach*
    *hinten. Octavio sieht hin und steht von Entsetzen er-*
    *griffen).*

D e v e r o u x  *(zu Buttler).*
  Hier ist das goldne Vlies, des Fürsten Degen!
M a c d o n a l d.
  Befehlt Ihr, daß man die Kanzlei –
B u t t l e r  *(auf Octavio zeigend).*   Hier steht er,      3780
  Der jetzt allein Befehle hat zu geben.
*(Deveroux und Macdonald treten ehrerbietig zurück; alles
verliert sich still, daß nur allein Buttler, Octavio und Gor-
    don auf der Szene bleiben.)*
O c t a v i o  *(zu Buttlern gewendet).*
  War das die Meinung, Buttler, als wir schieden?
  Gott der Gerechtigkeit! Ich hebe meine Hand auf.
  Ich bin an dieser ungeheuren Tat
  Nicht schuldig.
B u t t l e r.        Eure Hand ist rein. Ihr habt
  Die meinige dazu gebraucht.
O c t a v i o.                    Ruchloser!
  So mußtest du des Herrn Befehl mißbrauchen
  Und blutig grauenvollen Meuchelmord
  Auf deines Kaisers heil'gen Namen wälzen?
B u t t l e r  *(gelassen).*
  Ich hab des Kaisers Urtel nur vollstreckt.       3790
O c t a v i o.  O Fluch der Könige, der ihren Worten
  Das fürchterliche Leben gibt, dem schnell
  Vergänglichen Gedanken gleich die Tat,
  Die fest unwiderrufliche, ankettet!
  Mußt' es so rasch gehorcht sein? Konntest du
  Dem Gnädigen nicht Zeit zur Gnade gönnen?
  Des Menschen Engel ist die Zeit – die rasche
  Vollstreckung an das Urteil anzuheften,
  Ziemt nur dem unveränderlichen Gott!
B u t t l e r.
  Was scheltet Ihr mich? Was ist mein Verbrechen?      3800
  Ich habe eine gute Tat getan,
  Ich hab das Reich von einem furchtbarn Feinde
  Befreit und mache Anspruch auf Belohnung.
  *Der* einz'ge Unterschied ist zwischen *Eurem*
  Und *meinem* Tun: Ihr habt den Pfeil geschärft,
  Ich hab ihn abgedrückt. Ihr sätet Blut
  Und steht bestürzt, daß Blut ist aufgegangen.
  *Ich* wußte immer, was ich tat, und so
  Erschreckt und überrascht mich kein Erfolg.

Habt Ihr sonst einen Auftrag mir zu geben?          3810
Denn stehnden Fußes reis ich ab nach Wien,
Mein blutend Schwert vor meines Kaisers Thron
Zu legen und den Beifall mir zu holen,
Den der geschwinde, pünktliche Gehorsam
Von dem gerechten Richter fordern darf. *(Geht ab.)*


ZWÖLFTER AUFTRITT

*Vorige ohne Buttler. Gräfin Terzky tritt auf, bleich und
entstellt. Ihre Sprache ist schwach und langsam, ohne
Leidenschaft.*

O c t a v i o *(ihr entgegen).*
O Gräfin Terzky, mußt' es dahin kommen?
Das sind die Folgen unglückselʼger Taten.
G r ä f i n. Es sind die Früchte Ihres Tuns – Der Herzog
Ist tot, mein Mann ist tot, die Herzogin
Ringt mit dem Tode, meine Nichte ist verschwunden. 3820
Dies Haus des Glanzes und der Herrlichkeit
Steht nun verödet, und durch alle Pforten
Stürzt das erschreckte Hofgesinde fort.
Ich bin die Letzte drin, ich schloß es ab
Und liefre hier die Schlüssel aus.
O c t a v i o *(mit tiefem Schmerz).*          O Gräfin,
Auch mein Haus ist verödet!
G r ä f i n.                          Wer soll noch
Umkommen? Wer soll noch mißhandelt werden?
Der Fürst ist tot, des Kaisers Rache kann
Befriedigt sein. Verschonen Sie die alten Diener!
Daß den Getreuen ihre Lieb und Treu          3830
Nicht auch zum Frevel angerechnet werde!
Das Schicksal überraschte meinen Bruder
Zu schnell, er konnte nicht mehr an sie denken.
O c t a v i o.
Nichts von Mißhandlung! Nichts von Rache, Gräfin!
Die schwere Schuld ist schwer gebüßt, der Kaiser
Versöhnt, nichts geht vom Vater auf die Tochter
Hinüber als sein Ruhm und sein Verdienst.
Die Kaiserin ehrt Ihr Unglück, öffnet Ihnen
Teilnehmend ihre mütterlichen Arme.
Drum keine Furcht mehr! Fassen Sie Vertrauen          3840

Und übergeben Sie sich hoffnungsvoll
Der kaiserlichen Gnade.
G r ä f i n *(mit einem Blick zum Himmel).*
                  Ich vertraue mich
Der Gnade eines größern Herrn — Wo soll
Der fürstliche Leichnam seine Ruhstatt finden?
In der Kartause, die er selbst gestiftet,
Zu Gitschin ruht die Gräfin Wallenstein;
An *ihrer* Seite, die sein erstes Glück
Gegründet, wünscht' er, dankbar, einst zu schlummern.
O lassen Sie ihn dort begraben sein!
Auch für die Reste meines Mannes bitt ich      3850
Um gleiche Gunst. Der Kaiser ist Besitzer
Von unsern Schlössern, gönne man uns nur
Ein Grab noch bei den Gräbern unsrer Ahnen.
O c t a v i o. Sie zittern, Gräfin – Sie verbleichen – Gott!
Und welche Deutung geb ich Ihren Reden?
G r ä f i n *(sammelt ihre letzte Kraft und spricht mit Leb-*
*haftigkeit und Adel).*
Sie denken würdiger von mir, als daß Sie glaubten,
Ich überlebte meines Hauses Fall.
Wir fühlten uns nicht zu gering, die Hand
Nach einer Königskrone zu erheben –
Es sollte nicht sein – Doch wir *denken* königlich     3860
Und achten einen freien, mut'gen Tod
Anständiger als ein entehrtes Leben.
– Ich habe Gift – – –
O c t a v i o.          O rettet! helft!
G r ä f i n.              Es ist zu spät.
In wenig Augenblicken ist mein Schicksal
Erfüllt. *(Sie geht ab.)*
G o r d o n. O Haus des Mordes und Entsetzens!
*(Ein Kurier kommt und bringt einen Brief. Gordon tritt*
*ihm entgegen.)*
Was gibt's? Das ist das kaiserliche Siegel.
*(Er hat die Aufschrift gelesen und übergibt den Brief dem*
*Octavio mit einem Blick des Vorwurfs.)*
Dem *Fürsten* Piccolomini.
*(Octavio erschrickt und blickt schmerzvoll zum Himmel.)*
              *(Der Vorhang fällt.)*

*nicht Verachtung.*

# NACHBEMERKUNG

Am 12. Oktober 1798 waren *Wallensteins Lager*, eingeleitet durch den »Prolog«, und am 30. Januar 1799 *Die Piccolomini* in Weimar aufgeführt worden. Der Erfolg beflügelte Schiller. Bereits am 17. März 1799 sandte er *Wallensteins Tod* als fertiges Werk nach Weimar. So war die gesamte Trilogie bereits Mitte April aufführungsreif. Am 15. April gingen *Wallensteins Lager*, am 17. April *Die Piccolomini* und am 20. April *Wallensteins Tod* auf dem Weimarer Theater in Szene. Der Erfolg des letzten Teiles war am größten. In Berlin wurde *Wallensteins Tod* bald darauf, am 17. Mai 1799, zum ersten Male gespielt. Im Druck erschien die Trilogie zuerst bei Cotta im Juni 1800.

Eine schöne und knappe Deutung des *Wallenstein*, die gerade dem umfassenden Charakter des Dramas gerecht wird, verdanken wir Goethe: »Wollte man das Objekt des ganzen Gedichts mit wenig Worten aussprechen, so würde es sein: die Darstellung einer phantastischen Existenz, welche durch ein außerordentliches Individuum und unter Vergünstigung eines außerordentlichen Zeitmoments, unnatürlich und augenblicklich gegründet wird, aber, durch ihren notwendigen Widerspruch mit der gemeinen Wirklichkeit des Lebens und mit der Rechtlichkeit der menschlichen Natur scheitert und samt allem, was an ihr befestigt ist, zugrunde geht. Der Dichter hatte also zwei Gegenstände darzustellen, die miteinander im Streit erscheinen: den phantastischen Geist, der von der einen Seite an das Große und Idealische, von der andern an den Wahnsinn und das Verbrechen grenzt, und das gemeine wirkliche Leben, welches von der einen Seite sich an das Sittliche und Verständige anschließt, von der andern dem Kleinen, dem Niedrigen und Verächtlichen sich nähert. In die Mitte zwischen beiden, als eine ideale, phantastische und zugleich sittliche Erscheinung, stellt er uns die Liebe, und so hat er in seinem Gemälde einen gewissen Kreis der Menschheit vollendet.«